FRANÇOIS LE CHAMPI

Aurore Dupin, baronne Dudevant, dite **George Sand,** naît à Paris, le 1er juillet 1804.

Elle est élevée par sa grand-mère paternelle, à Nohant, dans l'Indre. Ces dix années d'enfance campagnarde, déterminantes pour elle, influenceront son œuvre future. Elle se marie en 1822 avec Casimir Dudevant. Deux enfants naissent : Maurice, puis Solange. Elle quitte Nohant pour Paris et y mène une vie assez libre, scandalisant la bonne société. Elle y aura de nombreuses aventures sentimentales avec Jules Sandeau, Alfred de Musset, Chopin (aux côtés duquel elle vivra dix ans).

Elle publie son premier roman, *Indiana*, en 1832. En 1848, profondément déçue par la révolution, elle se réfugie à Nohant où elle écrira ses romans champêtres.

Elle meurt à Nohant le 8 juin 1876.

41, rue de Verdun
94500 Champigny-s/Marne
Imprimé par Brodard et Taupin
La Flèche (France)
« Loi n° 49 956 du 16/7/1949
sur les publications destinées
à la jeunesse. »
Dépôt légal : avril 1985

GEORGE SAND

FRANÇOIS LE CHAMPI

Adapté par Alicia Dujovne-Ortiz
Illustrations de Anne-Françoise Couloumy

ÉDITIONS LITO-PARIS

PRÉFACE

*Nous revenions de la promenade, R*** et moi, au clair de la lune, qui argentait faiblement les sentiers dans la campagne assombrie. C'était une soirée d'automne tiède et doucement voilée ; nous remarquions la sonorité de l'air dans cette saison et ce je ne sais quoi de mystérieux qui règne alors dans la nature. On dirait qu'à l'approche du lourd sommeil de l'hiver chaque être et chaque chose s'arrangent furtivement pour jouir d'un reste de vie et d'animation avant l'engourdissement fatal de la gelée ; et, comme s'ils voulaient tromper la marche du temps, comme s'ils craignaient d'être surpris et interrompus dans les derniers ébats de leur fête, les êtres et les choses de la nature procèdent sans bruit et sans activité apparente à leurs ivresses nocturnes. Les oiseaux font entendre des cris étouffés au lieu des joyeuses fanfares de l'été. L'insecte des sillons laisse échapper parfois une exclamation indiscrète ; mais tout aussitôt il s'interrompt, et va rapidement porter son chant ou sa plainte à un autre point de rappel. Les plantes se hâtent d'exhaler un dernier parfum, d'autant plus* *suave qu'il est plus subtil et comme contenu. Les feuilles jaunissantes n'osent frémir au souffle de l'air, et les troupeaux paissent en silence sans cris d'amour ou de combat.*

Nous-mêmes, mon ami et moi, nous marchions avec une certaine précaution, et un recueillement instinctif nous rendait muets et comme attentifs à la beauté adoucie de la nature, à l'harmonie enchanteresse de ses derniers accords, qui s'éteignaient dans un pianissimo *insaisissable. L'automne est un* andante *mélancolique et gracieux qui prépare admirablement le solennel* adagio *de l'hiver.*

— Tout cela est si calme, me dit enfin mon ami, qui, malgré notre silence, avait suivi mes pensées comme je suivais les siennes ; tout cela paraît absorbé dans une rêverie si étrangère et si indifférente aux travaux, aux prévoyances et aux soucis de l'homme, que je me demande quelle expression, quelle couleur, quelle manifestation d'art et de poésie l'intelligence humaine pourrait donner en ce moment à la physionomie de la nature. Et, pour mieux te définir le but de ma recherche, je compare cette soirée, ce ciel, ce paysage, éteints et cependant harmonieux et complets, à l'âme d'un paysan religieux et sage qui travaille et profite de son labeur, qui jouit de la vie qui lui est propre, sans besoin, sans désir et sans moyen de manifester et d'exprimer sa vie intérieure. J'essaie de me placer au sein de ce mystère de la vie rustique et naturelle, moi civilisé, qui ne sais pas jouir par l'instinct seul, et qui suis toujours tourmenté du désir de rendre compte aux autres et à moi-même de ma con-

templation ou de ma méditation.

Et alors, continua mon ami, je cherche avec peine quel rapport peut s'établir entre mon intelligence qui agit trop et celle de ce paysan qui n'agit pas assez ; de même que je me demandais tout à l'heure ce que la peinture, la musique, la description, la traduction de l'art, en un mot, pourrait ajouter à la beauté de cette nuit d'automne qui se révèle à moi par une réticence mystérieuse, et qui me pénètre sans que je sache par quelle magique communication.

— Voyons, répondis-je, si je comprends bien comment la question est posée : cette nuit d'octobre, ce ciel incolore, cette musique sans mélodie marquée ou suivie, ce calme de la nature, ce paysan qui se trouve plus près de nous, par sa simplicité, pour en jouir et la comprendre sans la décrire, mettons tout cela ensemble, et appelons-le la vie primitive, relativement à notre vie développée et compliquée, que j'appellerai la vie factice. Tu demandes quel est le rapport possible, le lien direct entre ces deux états opposés de l'existence des choses et des êtres, entre le palais et la chaumière, entre l'artiste et la création, entre le poète et le laboureur.

— Oui, reprit-il, et précisons : entre la langue que parlent cette nature, cette vie primitive, ces instincts, et celle que parlent l'art, la science, la connaissance, en un mot ?

— Pour parler le langage que tu adoptes, je te répondrai qu'entre la connaissance et la sensation, le rapport c'est le sentiment.

— Et c'est sur la définition de ce sentiment que

précisément je t'interroge en m'interrogeant moi-même. C'est lui qui est chargé de la manifestation qui m'embarrasse ; c'est lui qui est l'art, l'artiste, si tu veux, chargé de traduire cette candeur, cette grâce, ce charme de la vie primitive, à ceux qui ne vivent que de la vie factice, et qui sont, permets-moi de le dire, en face de la nature et de ses secrets divins, les plus grands crétins du monde.

— Tu ne me demandes rien moins que le secret de l'art : cherche-le dans le sein de Dieu, car aucun artiste ne pourra te le révéler. Il ne sait pas lui-même, et ne pourrait rendre compte des causes de son inspiration ou de son impuissance. Comment faut-il s'y prendre pour exprimer le beau, le simple et le vrai ? Est-ce que je le sais ? Et qui pourrait nous l'apprendre ? les plus grands artistes ne le pourraient pas non plus, parce que s'ils cherchaient à le faire ils cesseraient d'être artistes, ils deviendraient critiques ; et la critique... !

— Et la critique, reprit mon ami, tourne depuis des siècles autour du mystère sans y rien comprendre. Mais pardonne-moi, ce n'est pas là précisément ce que je demandais. Je suis plus sauvage que cela dans ce moment-ci ; je révoque en doute la puissance de l'art. Je la méprise, je l'anéantis, je prétends que l'art n'est pas né, qu'il n'existe pas, ou bien que, s'il a vécu, son temps est fait. Il est usé, il n'a plus de formes, il n'a plus de souffle, il n'a plus de moyens pour chanter la beauté du vrai. La nature est une œuvre d'art, mais Dieu est le seul artiste qui existe, et l'homme n'est qu'un arrangeur de mauvais goût. La nature est belle,

le sentiment s'exhale de tous ses pores ; l'amour, la jeunesse, la beauté y sont impérissables. Mais l'homme n'a pour les sentir et les exprimer que des moyens absurdes et des facultés misérables. Il vaudrait mieux qu'il ne s'en mêlât pas, qu'il fût muet et se renfermât dans la contemplation. Voyons, qu'en dis-tu ?

— Cela me va, et je ne demanderais pas mieux, répondis-je.

— Ah ! s'écria-t-il, tu vas trop loin, et tu entres trop dans mon paradoxe. Je plaide, réplique.

— Je répliquerai donc qu'un sonnet de Pétrarque a sa beauté relative, qui équivaut à la beauté de l'eau de Vaucluse, qu'un beau paysage de Ruysdaël a son charme qui équivaut à celui de la soirée que voici ; que Mozart chante dans la langue des hommes aussi bien que Philomèle dans celle des oiseaux ; que Shakespeare fait passer les passions, les sentiments et les instincts, comme l'homme le plus primitif et le plus vrai peut les ressentir. Voici l'art, le rapport, le sentiment, en un mot.

— Oui, c'est une œuvre de transformation ! mais si elle ne me satisfait pas ? quand même tu aurais mille fois raison de par les arrêts du goût et de l'esthétique, si je trouve les vers de Pétrarque moins harmonieux que le bruit de la cascade ; et ainsi du reste ? Si je soutiens qu'il y a dans la soirée que voici un charme que personne ne pourrait me révéler si je n'en avais joui par moi-même ; et que toute la passion de Shakespeare est froide au prix de celle que je vois briller dans les yeux du paysan jaloux qui bat sa femme, qu'auras-tu à me répondre ? Il s'agit de persuader

mon sentiment. Et s'il échappe à tes exemples, s'il résiste à tes preuves ? L'art n'est donc pas un démonstrateur invincible, et le sentiment n'est pas toujours satisfait par la meilleure des définitions.

— Je n'y vois rien à répondre, en effet, sinon que l'art est une démonstration dont la nature est la preuve ; que le fait préexistant de cette preuve est toujours là pour justifier et contredire la démonstration, et qu'on n'en peut pas faire de bonne si on n'examine pas la preuve avec amour et religion.

— Ainsi la démonstration ne pourrait se passer de la preuve ; mais la preuve ne pourrait-elle se passer de la démonstration ?

— Dieu pourrait s'en passer sans doute ; mais toi qui parles comme si tu n'étais pas des nôtres, je parie bien que tu ne comprendrais rien à la preuve si tu n'avais trouvé dans la tradition de l'art la démonstration sous mille formes, et si tu n'étais toi-même une démonstration toujours agissant sur la preuve.

— Eh ! voilà ce dont je me plains. Je voudrais me débarrasser de cette éternelle démonstration qui m'irrite ; anéantir dans ma mémoire les enseignements et les formes de l'art ; ne jamais penser à la peinture quand je regarde le paysage, à la musique quand j'écoute le vent, à la poésie quand j'admire et goûte l'ensemble. Je voudrais jouir de tout par l'instinct, parce que ce grillon qui chante me paraît plus joyeux et plus enivré que moi.

— Tu te plains d'être homme, en un mot ?

— Non ; je me plains de n'être plus l'homme primitif.

— Reste à savoir si, ne comprenant pas, il jouissait.

— Je ne le suppose pas semblable à la brute. Du moment qu'il fut homme, il comprit et sentit autrement. Mais je ne peux pas me faire une idée nette de ses émotions, et c'est là ce qui me tourmente. Je voudrais être, du moins, ce que la société actuelle permet à un grand nombre d'hommes d'être, du berceau à la tombe, je voudrais être paysan ; le paysan qui ne sait pas lire, celui à qui Dieu a donné de bons instincts, une organisation paisible, une conscience droite ; et je m'imagine que, dans cet engourdissement des facultés inutiles, dans cette ignorance des goûts dépravés, je serais aussi heureux que l'homme primitif rêvé par Jean-Jacques.

— Et moi aussi, je fais souvent ce rêve ; qui ne l'a fait ? Mais il ne donnerait pas la victoire à ton raisonnement, car le paysan le plus simple et le plus naïf est encore artiste ; et moi, je prétends même que leur art est supérieur au nôtre. C'est une autre forme, mais elle parle plus à mon âme que toutes celles de notre civilisation. Les chansons, les récits, les contes rustiques, peignent en peu de mots ce que notre littérature ne sait qu'amplifier et déguiser.

— Donc, je triomphe ? reprit mon ami. Cet art-là est le plus pur et le meilleur, parce qu'il s'inspire davantage de la nature, qu'il est en contact plus direct avec elle. Je veux bien avoir poussé les choses à l'extrême en disant que l'art n'était bon à rien ; mais j'ai dit aussi que je voudrais sentir à la manière du paysan, et je ne m'en dédis pas. Il y a certaines complaintes bretonnes, faites par des mendiants, qui valent tout Gœthe et tout Byron, en trois couplets, et qui prouvent que l'appréciation du vrai et du beau a été plus spontanée et plus complète dans ces âmes simples que dans celles des plus illustres poètes. Et la musique donc ! N'avons-nous pas dans notre pays des mélodies admirables ? Quant à la peinture, ils n'ont pas cela ; mais ils le possèdent dans leur langage, qui est plus expressif, plus énergique et plus logique cent fois que notre langue littéraire.

— J'en conviens, répondis-je ; et quant à ce dernier point surtout, c'est pour moi une cause de désespoir que d'être forcée d'écrire la langue de l'Académie, quand j'en sais beaucoup mieux une autre qui est si supérieure pour rendre tout un ordre d'émotions, de sentiments et de pensées.

— Oui, oui, le monde naïf ! dit-il, le monde inconnu, fermé à notre art moderne, et que nulle étude ne te fera exprimer à toi-même, paysan de nature, si tu veux l'introduire dans le domaine de l'art civilisé, dans le commerce intellectuel de la vie factice.

— Hélas ! répondis-je, je me suis beaucoup préoccupée de cela. J'ai vu et j'ai senti par moi-même, avec tous les êtres civilisés, que la vie primitive était le rêve, l'idéal de tous les hommes et de tous les temps. Depuis les bergers de Longus jusqu'à ceux de Trianon, la vie pastorale est un Eden parfumé où les âmes tourmentées et lassées du tumulte du monde ont essayé de se réfugier. L'art, ce grand flatteur, ce chercheur complaisant de consolations pour les gens trop heureux, a traversé une suite ininterrompue de bergeries. Et sous ce titre : Histoire des bergeries, j'ai souvent désiré de faire un livre d'érudition et de critique où j'aurais passé en revue tous ces différents rêves champêtres dont les hautes classes se sont nourries avec passion.

J'aurais suivi leurs modifications toujours en rapport inverse de la dépravation des mœurs, et se faisant pures et sentimentales d'autant plus que la société était corrompue et impudente. Je voudrais pouvoir commander ce livre à un écrivain plus capable que moi de le faire, et je le lirais ensuite avec plaisir. Ce serait un traité d'art complet, car la musique, la peinture, l'architecture, la littérature dans toutes ses formes : théâtre, poème, roman, églogue, chanson ; les modes, les jardins, les costumes même, tout a subi l'engouement du rêve pastoral. Tous ces types de l'âge d'or, ces bergères, qui sont des nymphes et puis des marquises, ces bergères de l'Astrée qui passent par le Lignon de Florian, qui portent de la poudre et du satin sous Louis XV et auxquels Sedaine commence, à la fin de la monarchie, à donner des sabots, sont tous plus ou moins faux, et aujourd'hui ils nous paraissent niais et ridicules. Nous en avons fini avec eux, nous n'en voyons plus guère que sous forme de fantômes à l'Opéra, et pourtant ils ont régné sur les cours et ont fait les délices des rois qui leur empruntaient la houlette et la panetière.

Je me suis demandée souvent pourquoi il n'y avait plus de bergers, car nous ne nous sommes pas tellement passionnés pour le vrai dans ces derniers temps, que nos arts et notre littérature soient en droit de mépriser ces types de convention plutôt que ceux que la mode inaugure. Nous sommes aujourd'hui à l'énergie et à l'atrocité, et nous brodons sur le canevas de ces passions des ornements qui seraient d'un terrible à faire dresser les cheveux sur la tête, si nous pouvions les prendre au sérieux.

— Si nous n'avons plus de bergers, reprit mon ami, si la littérature n'a plus cet idéal faux qui valait bien celui d'aujourd'hui, ne serait-ce pas une tentative que l'art fait, à son insu, pour se niveler, pour se mettre à la portée de toutes les classes d'intelligences ? Le rêve de l'égalité jeté dans la société ne pousse-t-il pas l'art à se faire brutal et fougueux, pour réveiller les instincts et les passions qui sont communs à tous les hommes, de quelque rang qu'ils soient ? On n'arrive pas au vrai encore. Il n'est pas plus dans le réel enlaidi que dans l'idéal pomponné ; mais on le cherche, cela est évident, et, si on le cherche mal, on n'en est que plus avide de le trouver. Voyons : le théâtre, la poésie et le roman ont quitté la houlette pour prendre le poignard, et quand ils mettent en scène la vie rustique, ils lui donnent un certain caractère de réalité qui manquait aux bergeries du temps passé. Mais la poésie n'y est guère, et je m'en plains ; et je ne vois pas encore le moyen de relever l'idéal champêtre sans le farder ou le noircir. Tu y as souvent songé, je le sais ; mais peux-tu réussir ?

— Je ne l'espère point, répondis-je, car la forme me manque, et le sentiment que j'ai de la simplicité rustique ne trouve pas de langage pour s'exprimer. Si je fais parler l'homme des champs comme il parle, il faut une traduction en regard pour le lecteur civilisé, et si je le fais parler comme nous parlons, j'en fais un être impossible, auquel il faut supposer un ordre d'idées qu'il n'a pas.

— Et puis quand même tu le ferais parler comme il parle, ton langage à toi ferait à chaque instant un contraste désagréable ; tu n'es pas pour moi à l'abri de ce reproche. Tu peins une fille des champs, tu l'appelles Jeanne et tu mets dans sa bouche des paroles qu'à la rigueur elle peut dire. Mais toi, romancier, qui veux faire partager à tes lecteurs l'attrait que tu éprouves à peindre ce type, tu la compares à une druidesse, à Jeanne d'Arc, que sais-je ? Ton sentiment et ton langage font avec les siens un effet disparate comme la rencontre de tons criards dans un tableau ; et ce n'est pas ainsi que je peux entrer tout à fait dans la nature, même en l'idéalisant. Tu as fait, depuis, une meilleure étude du vrai dans la Mare au Diable. Mais je ne suis pas encore content ; l'auteur y montre encore de temps en temps le bout de l'oreille ; il s'y trouve des mots d'auteur, comme dit Henri Monnier, artiste qui a réussi à être vrai dans la charge et qui, par conséquent, a résolu le problème qu'il s'était posé. Je sais que ton problème à toi n'est pas plus facile à résoudre. Mais il faut encore essayer, sauf à ne pas réussir ; les chefs-d'œuvre ne sont jamais que des tentatives heureuses. Console-toi de ne pas faire de chefs-d'œuvre, pourvu que tu fasses des tentatives consciencieuses.

— J'en suis consolée d'avance, répondis-je, et je recommencerai quand tu voudras ; conseille-moi.

— Par exemple, dit-il, nous avons assisté hier à une veillée rustique à la ferme. Le chanvreur a conté des histoires jusqu'à deux heures du matin. La servante du curé l'aidait ou le reprenait ; c'était une paysanne un peu cultivée ; lui, un paysan inculte, mais heureusement doué et fort éloquent à sa manière. A eux deux, ils nous ont raconté une histoire vraie, assez longue, et qui avait l'air d'un roman intime. L'as-tu retenue ?

— Parfaitement, et je pourrais la redire mot à mot dans leur langage.

— Mais leur langage exige une traduction ; il faut écrire en français, et ne pas se permettre un mot qui ne le soit pas, à moins qu'il ne soit si intelligible qu'une note devienne inutile pour le lecteur.

— Je le vois, tu m'imposes un travail à perdre l'esprit, et dans lequel je ne me suis jamais plongée que pour en sortir mécontente de moi-même et pénétrée de mon impuissance.

— N'importe ! tu t'y plongeras encore, car je vous connais, vous autres artistes ; vous ne vous passionnez que devant les obstacles, et vous faites mal ce que vous faites sans souffrir. Tiens, commence, raconte-moi l'histoire du Champi, non pas telle que je l'ai entendue avec toi. C'était un chef-d'œuvre de narration pour nos esprits et pour nos oreilles du terroir. Mais raconte-la-moi comme si tu avais à ta droite un Parisien parlant la langue moderne, et à ta gauche un paysan devant lequel tu ne voudrais pas dire une *phrase, un mot où il ne pourrait pas pénétrer. Ainsi tu dois parler clairement pour le Parisien, naïvement pour le paysan. L'un te reprochera de manquer de couleur, l'autre d'élégance. Mais je serai là aussi, moi qui cherche par quel rapport l'art, sans cesser d'être l'art pour tous, peut entrer dans le mystère de la simplicité primitive, et communiquer à l'esprit le charme répandu dans la nature.*

— *C'est donc une* étude *que nous allons faire à nous deux ?*

— *Oui, car je t'arrêterai où tu broncheras.*

— *Allons, asseyons-nous sur ce tertre jonché de serpolet. Je commence ; mais auparavant permets que, pour m'éclaircir la voix, je fasse quelques gammes.*

— *Qu'est-ce à dire ? je ne te savais pas chanteuse.*

— *C'est une métaphore. Avant de commencer un travail d'art, je crois qu'il faut se remettre en mémoire un thème quelconque qui puisse vous servir de type et faire entrer votre esprit dans la disposition voulue. Ainsi, pour me préparer à ce que tu demandes, j'ai* besoin de réciter l'histoire du chien de Brisquet, *qui* est courte, *et* que *je sais par cœur.*

— *Qu'est-ce que cela ? Je ne m'en souviens pas.*

— *C'est un trait pour ma voix, écrit par Charles* Nodier, *qui essayait la sienne sur tous les modes possibles ; un grand artiste, à mon sens, qui n'a pas eu toute la gloire qu'il méritait, parce que, dans le nombre varié de ses tentatives, il en a fait plus de mauvai-*

ses que de bonnes : mais quand un homme a fait deux ou trois chefs-d'œuvre, si courts qu'ils soient, on doit le couronner et lui pardonner ses erreurs. Voici le chien de Brisquet. Ecoute.

Et je récitai à mon ami l'histoire de la Bichonne, qui l'émut jusqu'aux larmes, et qu'il déclara être un chef-d'œuvre de genre.

— Je devrais être découragée de ce que je vais tenter, lui dis-je ; car cette odyssée du Pauvre chien à Brisquet, qui n'a pas duré cinq minutes à réciter, n'a pas une tache, pas une ombre ; c'est un pur diamant taillé par le premier lapidaire du monde ; car Nodier était essentiellement lapidaire en littérature. Moi, je n'ai pas de science, et il faut que j'invoque le sentiment. Et puis, je ne peux promettre d'être brêve, et d'avance je sais que la première des qualités, celle de faire bien et court, manquera à mon étude.

— Va toujours, dit mon ami, ennuyé de mes préliminaires.

— C'est donc l'histoire de François le Champi, repris-je, et je tâcherai de me rappeler le commencement sans altération. C'était Monique, la vieille servante du curé, qui entra en matière.

— Un instant, dit mon auditeur sévère, je t'arrête au titre. Champi n'est pas français.

— Je te demande bien pardon, répondis-je. Le dictionnaire le déclare vieux, mais Montaigne l'emploie, et je ne prétends pas être plus française que les grands écrivains qui font la langue. Je n'intitulerai donc pas mon conte François l'Enfant-Trouvé, François le Bâtard, mais François le Champi, c'est-à-dire *l'enfant abandonné dans les champs, comme on disait autrefois dans le monde, et comme on dit encore aujourd'hui chez nous.*

CHAPITRE I

Un jour que Madeleine Blanchet, la jeune meunière du Courmouer, s'en allait au bout de son pré pour laver à la fontaine, elle trouva un petit enfant assis devant sa planchette, et jouant avec la paille qui sert de coussinet aux genoux des lavandières. Madeleine Blanchet, ayant remarqué cet enfant, fut étonnée de ne pas le connaître, car de ce côté-là on n'y rencontre que des gens de l'endroit.

— Qui es-tu, mon enfant ? dit-elle au petit garçon qui ne parut pas comprendre sa question. Comment t'appelles-tu ?

— François, répondit l'enfant.
— François qui ?
— Qui ? dit l'enfant d'un air simple.
— De qui es-tu le fils ?
— Je ne sais pas, allez !
— Tu ne sais pas le nom de ton père !
— Je n'en ai pas.
— Il est donc mort ?
— Je ne sais pas.
— Et ta mère ?
— Elle est par là, dit l'enfant en montrant une maisonnette fort pauvre.
— Ah ! je sais, reprit Madeleine, c'est la femme qui est venue demeurer ici, qui a emménagé hier soir ?
— Oui, répondit l'enfant.
— Sais-tu le nom de ta mère, au moins ?
— Oui, c'est la Zabelle.
— Isabelle qui ? Tu ne lui connais pas d'autre nom ?
— Ma foi non, allez !
— Ce que tu sais ne te fatiguera pas la cervelle, dit Madeleine en souriant. Elle le regarda encore : c'était un bel enfant, il avait des yeux magnifiques.
« C'est dommage, pensa-t-elle, qu'il ait l'air si niais. Quel âge as-tu ? reprit-elle. Peut-être que tu ne le sais pas non plus ? »
La vérité est qu'il n'en savait pas plus long là-dessus que sur le reste. Il fit ce qu'il put pour répondre, et il lança cette belle repartie :
— Deux ans !

— Oui-da ! tu as au moins six ans pour la taille, mais tu n'as pas deux ans pour le raisonnement.

— Peut-être bien ! répliqua François. Puis, faisant un autre effort sur lui-même, il dit : vous demandiez comment je m'appelle ? On m'appelle François le Champi.

— Ah ! ah ! je comprends, dit Madeleine en tournant vers lui un œil de compassion, car un champi est un enfant abandonné dans les champs. Tu n'es guère couvert. Je gage que tu as froid ?

— Je ne sais pas, répondit le pauvre champi.

Madeleine soupira. Elle pensa à son Jeannie qui n'avait qu'un an et qui dormait bien chaudement dans son berceau, gardé par sa grand-mère, tandis que ce pauvre champi grelottait tout seul au bord de la fontaine. Elle prit le bras de l'enfant et le trouva chaud.

— Tu as de la fièvre ? lui demanda-t-elle.

— Je ne sais pas, allez ! répondit l'enfant qui en avait toujours.

Madeleine Blanchet détacha le châle de laine qui lui couvrait les épaules et en enveloppa le champi. Elle ôta toute la paille qu'elle avait sous les genoux et lui en fit un lit où il ne tarda pas à s'endormir, et Madeleine acheva de laver les nippes de son petit Jeannie.

Quand tout fut lavé, le linge mouillé était devenu lourd et elle ne put emporter le tout. Elle laissa son battoir et une partie de ses affaires au bord de l'eau, se promettant de réveiller le champi lorsqu'elle reviendrait de la maison. Madeleine n'était ni grande ni forte. C'était une très jolie femme, renommée par sa douceur et son bon sens.

Quand elle ouvrit la porte de sa maison, elle vit le champi qui l'avait rattrapée et qui lui apportait son battoir, son savon, le reste de son linge et son châle de laine.

— Oh ! oh ! dit-elle, tu n'es pas si bête que je croyais, toi, car tu es serviable. Entre, mon enfant, viens te reposer.

— Tenez, mère, dit-elle à la vieille meunière, voilà un pauvre champi qui a l'air malade.

— Ah ! c'est la fièvre de la misère ! répondit la vieille. Ça se guérirait avec de la bonne soupe. C'est le champi à cette femme qui est la locataire de ton homme, Madeleine. Je crains que ça ne paye pas souvent.

Madeleine savait que sa belle-mère et son mari aimaient l'argent plus que leur prochain. Elle prit François par la main, Jeannie sur son autre bras, et s'en fut avec eux chez la Zabelle.

La Zabelle était une vieille fille de cinquante ans. Elle avait pris François d'une femme qui était morte, et l'avait élevé depuis, pour faire de lui son petit serviteur ; mais elle avait perdu ses bêtes et devait en acheter d'autres à crédit, car elle ne vivait pas d'autre chose que de quelques brebis et d'une douzaine de poules. Madeleine causa avec elle et vit bientôt que ce n'était pas une mauvaise femme, et qu'elle ne manquait pas d'affection pour son champi. Elle l'avertit qu'elle ferait tout son possible pour la secourir, mais la pria de n'en jamais parler à personne, avouant qu'elle ne pourrait l'assister qu'en cachette.

Madeleine commença par laisser à la Zabelle son châle de laine, en lui faisant donner promesse de le couper dès le même soir pour en faire un habillement au champi. Elle vit bien que la Zabelle trouvait le châle bien bon et bien utile pour elle-même. Elle fut obligée de lui dire qu'elle l'abandonnerait si, dans trois jours, elle ne voyait pas le champi chaudement vêtu.

— Votre champi a la fièvre, ajouta-t-elle, et, si vous ne le soignez pas bien, il mourra.

— Croyez-vous ? dit la Zabelle ; ça serait une peine pour moi, car cet enfant-là est aussi soumis qu'un enfant de famille ; c'est tout le contraire des autres champis, qui sont terribles.

— Parce qu'on les maltraite, dit la meunière. Ecoutez, vous me l'enverrez tous les matins et tous les soirs, à l'heure où je donnerai la soupe à mon petit. J'en ferai trop, et il mangera le reste. Et puisqu'il mangera ma soupe, toute la vôtre vous restera. Vous serez mieux nourris tous les deux.

— C'est juste, répondit la Zabelle. Je vois que vous êtes bonne au pauvre monde, et que vous m'aiderez à élever mon champi.

C'est ainsi que François le Champi fut élevé par les soins et le bon cœur de Madeleine la meunière. Il recouvra la santé très vite, car il était bâti, comme on dit chez nous, à chaux et à sable. Avec cela, il était courageux comme un homme ; il allait à la rivière comme un poisson ; il sautait sur les poulains les plus folâtres. Et il faisait tout cela d'une manière fort tranquille, sans rien dire, et sans quitter son air simple et un peu endormi.

Tout alla bien pendant deux ans. La Zabelle se trouva le moyen d'acheter quelques bêtes, on ne sut trop comment. Elle put s'habiller un peu mieux, et elle parut peu à peu moins misérable qu'à son arrivée. La belle-mère de Madeleine fit bien quelques réflexions assez dures sur la quantité de pain qui se mangeait à la maison, mais Cadet Blanchet ne se fâcha presque point, et parut même vouloir fermer les yeux.

Le secret de cette complaisance, c'est qu'il était encore très amoureux de sa femme. Madeleine était jolie et nullement coquette. Cela causait un peu de jalousie à la mère Blanchet, et elle s'en vengeait par de petites tracasseries que Madeleine supportait en silence. C'était bien la meilleure manière de les faire finir plus vite. Mais un jour vint où Madeleine fut questionnée et on lui reprocha ses charités.

C'était une année où les blés avaient reçu la

grêle et où la rivière, en débordant, avait gâté les foins. Cadet Blanchet n'était pas de bonne humeur. Un jour qu'il revenait du marché avec un de ses confrères qui venait d'épouser une fort belle fille, ce dernier lui dit :

— Au reste, tu n'as pas été à plaindre non plus, *dans ton temps,* car ta Madelon était aussi une fille très agréable.

— Qu'est-ce que tu veux dire ? Madeleine n'a encore que vingt ans et je ne pense pas qu'elle soit devenue laide.

— Non, non, reprit l'autre. Mais ta femme n'était pas forte, à preuve que la voilà bien maigre et qu'elle a perdu sa bonne mine. Est-ce qu'elle est malade, cette pauvre Madelon ?

Cadet Blanchet rentra l'œil rouge et l'épaule haute. Il regarda Madeleine comme s'il ne l'avait pas vue depuis longtemps. Il s'aperçut qu'elle était pâle et changée. Il lui demanda si elle était malade, d'un ton si rude qu'elle devint encore plus pâle et répondit qu'elle se portait bien. Il se mit à table avec l'envie de chercher querelle à quelqu'un. L'occasion ne se fit pas attendre. La mère Blanchet remarqua qu'on mangeait trop de pain, et qu'elle avait surpris, le matin même, le champi emportant une demi-tourte... Madeleine ne sut que pleurer. Blanchet pensa à ce que lui avait dit son compère, si bien que, de ce jour-là, il n'aima plus sa femme et la rendit malheureuse.

CHAPITRE II

Il la rendit malheureuse, et comme jamais bien heureuse il ne l'avait rendue, elle eut doublement mauvaise chance dans le mariage. Elle s'était laissée marier, à seize ans, à ce rougeot qui n'était pas tendre. Mais comme elle était jeune et gentille, il avait des moments de justice et d'amitié, où il lui prenait les deux mains, en lui disant :

— Madeleine, il n'y a pas de meilleure femme que toi. Je reconnais que tu es sage, laborieuse, et que tu vaux ton pesant d'or.

Mais quand son amour fut passé, ce qui arriva au bout de quatre ans de ménage, il n'eut plus de bonne parole à lui dire. La belle-mère fut contente de voir que son fils redevenait l'homme de chez lui ; comme s'il avait jamais oublié de l'être et de le faire sentir ! Elle haïssait sa bru, parce qu'elle la voyait meilleure qu'elle. Madeleine avait remis son âme à Dieu et, trouvant inutile de se plaindre, elle souffrait comme si cela lui était dû.

Elle n'avait pas grande amitié pour la Zabelle, mais elle en avait un peu, parce que cette femme, moitié bonne, moitié intéressée, continuait à soigner de son mieux le pauvre champi ; et Madeleine, voyant combien deviennent mauvais ceux qui ne songent qu'à eux-mêmes, était portée à n'estimer que ceux qui pensaient un peu aux autres.

Peu à peu, elle remarqua que le champi, qui avait alors dix ans, commençait à penser comme elle. Il ne savait dire mot, et quand on voulait le faire causer, il était arrêté tout de suite parce qu'il ne savait rien de rien. Mais s'il fallait courir pour rendre service, il était toujours prêt.

Un jour qu'il portait le petit Jeannie dans ses bras et qu'il se laissait tirer les cheveux par lui pour le faire rire, Madeleine lui dit :

— François, si tu commences déjà à tout supporter des autres, tu ne sais pas où ils s'arrêteront.

Et à son grand ébahissement, François lui répondit :

— J'aime mieux supporter le mal que de le rendre.

Madeleine, étonnée, regarda dans les yeux du champi. Il y avait dans les yeux de cet enfant-là quelque chose de si bon et de si décidé en même temps qu'elle en fut toute retournée.

Et puis elle oublia cette petite aventure, car ce fut peu de temps après que son mari se mit à la détester tout à fait et à lui défendre de laisser la Zabelle et son gars remettre les pieds dans le moulin. Alors Madeleine en avertit la Zabelle en lui disant que pendant quelque temps elle aurait l'air de l'oublier.

Mais la Zabelle avait grand-peur du meunier. Elle se dit que le meunier étant le maître, il pouvait bien la mettre à la porte. Elle songea aussi qu'en obéissant à la mère Blanchet, elle se remettrait bien avec elle, et que sa protection lui serait plus utile que celle de la jeune femme. Elle alla donc trouver la vieille meunière, et s'accusa d'avoir accepté des secours de sa belle-fille, disant que c'était seulement par pitié pour le champi. La vieille haïssait le champi, seulement parce que Madeleine s'intéressait à lui. Elle conseilla à la Zabelle de s'en débarrasser, lui promettant, à tel prix, d'obtenir six mois de crédit pour son loyer. La Zabelle promit que dès le lendemain elle reconduirait le champi à l'hospice.

Elle n'eut pas plus tôt fait cette promesse qu'elle s'en repentit, et qu'à la vue de François qui dormait sur son grabat, elle se sentit le cœur gros. Elle ne dormit guère mais, dès avant le jour, la mère Blanchet entra dans son logis et lui dit :

— Allons, debout, Zabeau ! Vous avez promis, il faut tenir. En voilà un qui, en fin de compte, quand il sera grand et fort, deviendra bandit sur les chemins, et vous fera honte. Allons, en route ! Conduisez-le moi jusqu'à Corlay. A huit heures, la diligence passe.

La Zabelle réveilla l'enfant, lui mit ses meilleurs habits et, le prenant par la main, elle partit avec lui au clair de lune. Mais à mesure qu'elle marchait et que le jour montait, le cœur lui manquait. Quand elle arriva au bord de la route, elle s'assit plus morte que vive. La diligence approchait.

Quand le champi vit, pour la première fois de sa vie, rouler vers lui une grosse voiture, il eut peur du bruit qu'elle faisait, et se mit à tirer la Zabelle vers le pré. La Zabelle crut qu'il comprenait son sort, et lui fit :

— Allons, mon pauvre François, il le faut !

Ce mot fit encore plus peur à François. Il perdit la tête et s'enfuit dans le pré en criant. La Zabelle courut après lui ; mais le voyant pâle comme un enfant qui va mourir, elle laissa passer la diligence.

CHAPITRE III

Ils revinrent par où ils étaient venus, jusqu'à mi-chemin du moulin, et là, de fatigue, ils s'arrêtèrent. La Zabelle était inquiète de voir l'enfant trembler de la tête aux pieds. Elle tâcha de le consoler. Mais elle ne savait ce qu'elle disait, et François n'était pas en état de le deviner.

Enfin, la Zabeau eut honte de sa faiblesse et se dit que si elle reparaissait au moulin avec l'enfant, elle était perdue. Une autre diligence passait vers midi, elle décida de se reposer là jusqu'au moment propice pour retourner à la route ; mais comme François était affolé jusqu'à en perdre le peu d'esprit qu'il avait, elle essaya de lui donner confiance et en dit plus qu'elle ne voulait. Ou bien François avait entendu en s'éveillant, le matin, certaines paroles de la mère Blanchet qui lui revenaient à l'esprit. C'est pourquoi il se mit à dire, en regardant la Zabelle avec les mêmes yeux qui avaient tant étonné et presque effarouché Madeleine :

— Mère, tu veux me renvoyer d'avec toi ! Tu veux me mettre dans l'hospice !

La Zabelle se mit à lui expliquer la vérité et à vouloir lui faire comprendre qu'il serait plus heureux à l'hospice qu'avec elle. Ces consolations achevèrent de désoler le champi. Il aimait d'ailleurs de toutes ses forces cette mère ingrate qui ne tenait pas à lui autant qu'à elle-même. Il se coucha par terre en sanglotant, en arrachant l'herbe avec ses mains, comme s'il fût tombé du haut mal. Et quand la Zabelle voulut le relever de force en le menaçant, il se frappa la tête si fort sur les pierres qu'il se mit tout en sang.

Dieu voulut qu'à ce moment-là Madeleine Blanchet vint à passer. Elle ne savait rien du départ de la Zabelle et de l'enfant. Elle avait été chez la bourgeoise de Presles pour lui remettre de la laine qu'on lui avait donnée à filer très menu. Elle en avait touché de l'argent et elle s'en revenait au moulin avec dix écus dans sa poche. Elle allait traverser la rivière, lorsqu'elle entendit des cris à fendre l'âme et reconnut tout d'un coup la voix du pauvre champi. Elle courut de ce côté, et vit l'enfant tout en sang qui se débattait dans les bras de la Zabelle. A voir cela, on eût dit que la Zabelle l'avait frappé méchamment. François, en l'apercevant, se prit à courir vers elle, en criant :

— Madeleine Blanchet, sauvez-moi !

La Zabelle était grande et forte, et Madeleine était petite et mince comme un brin de jonc. Elle n'eut cependant pas peur et, à l'idée que cette femme, devenue folle, voulait assassiner l'enfant, elle se mit au-devant de lui, bien déterminée à le défendre.

Mais la Zabelle, qui avait plus de chagrin que de colère, raconta les choses comme elles étaient. Cela fit que François comprit enfin tout le malheur de son état. Quand la Zabelle eut tout dit, il commença à s'attacher aux jupons de la meunière, en disant : « Ne me renvoyez pas, ne me laissez pas renvoyer ! » Et il allait de la Zabeau qui pleurait à la meunière qui pleurait encore plus fort, disant toutes sortes de mots et de prières qui n'avaient pas l'air de sortir de sa bouche car c'était la première fois qu'il trouvait moyen de dire ce qu'il voulait :

— O ma mère, ma mère mignonne ! disait-il à la Zabelle, pourquoi veux-tu me quitter ? Qu'est-ce que je t'ai fait pour que tu ne m'aimes plus ?

Et il allait à Madeleine en lui disant :

— Madame la meunière, dites à ma mère de me garder. Je n'irai plus jamais chez vous, puisqu'on ne le veut pas, et quand vous voudrez me

donner quelque chose, je saurai que je ne dois pas le prendre. J'irai parler à monsieur Cadet Blanchet, je lui dirai de me battre et de ne plus vous gronder pour moi. Mais ne me laissez pas renvoyer, je ne veux pas m'en aller, j'aime mieux me jeter dans la rivière.

Et le pauvre François regardait la rivière en s'approchant si près qu'on voyait bien qu'il n'eût fallu qu'un mot de refus pour le faire noyer. Madeleine parlait pour l'enfant, et la Zabelle mourait d'envie de l'écouter ; mais elle se voyait près du moulin, et ce n'était plus comme lorsqu'elle était auprès de la route.

— Va, méchant enfant, disait-elle, je te garderai ; mais tu seras cause que demain je serai sur les chemins demandant mon pain. Voilà à quoi m'aura servi de me mettre sur le dos l'embarras d'un enfant qui ne me rapporte pas le pain qu'il mange.

— En voilà assez, Zabelle, dit la meunière en prenant le champi dans ses bras. Tenez, voilà dix écus pour payer votre ferme. On me tuera si l'on veut, j'achète cet enfant-là. C'est moi qui serai sa mère. Viens, mon pauvre François. Tu n'es plus champi. Tu as une mère, et tu peux l'aimer à ton aise ; elle te le rendra de tout son cœur.

Madeleine disait ces paroles-là sans trop savoir ce qu'elle disait. Elle était vraiment en colère contre la Zabelle. François avait ses deux bras autour du cou de la meunière, et il serrait si fort qu'elle en perdit la respiration.

Cela fit un tel effet sur Madeleine qu'elle se mit à marcher vers le moulin avec autant de courage qu'un soldat qui va au feu. Et sans songer que l'enfant était lourd, elle traversa le petit pont. Quand elle fut au milieu, elle s'arrêta. L'enfant devenait si pesant qu'elle fléchissait, prête à défaillir. Elle se retourna pour regarder le champi. Il avait les yeux tout retournés, et ne la serrait plus de ses bras ; il avait eu trop de chagrin, ou il avait perdu trop de sang. Le pauvre enfant s'était évanoui.

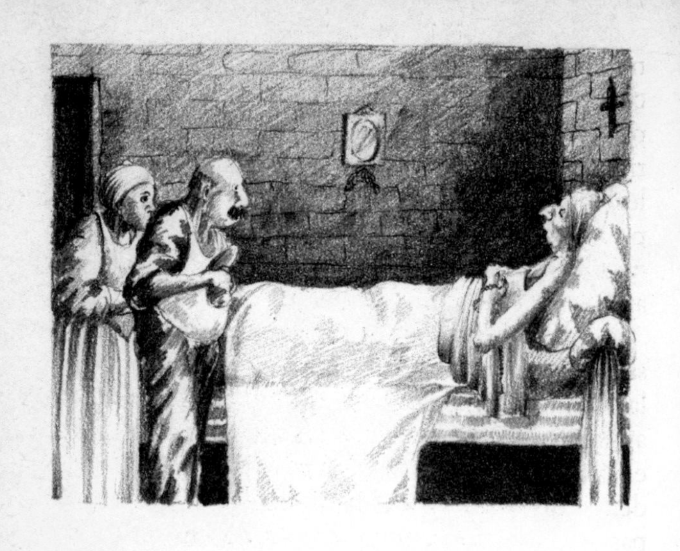

CHAPITRE IV

Quand la Zabelle le vit ainsi, elle le crut mort. Son amitié lui revint dans le cœur, elle reprit l'enfant à Madeleine et se mit à l'embrasser. Elles le couchèrent sur leurs genoux, lavèrent ses blessures et en arrêtèrent le sang avec leurs mouchoirs. Madeleine lui soufflait sur le visage et dans la bouche comme on fait aux noyés. Cela le réconforta et, dès qu'il ouvrit les yeux, il embrassa Madeleine et la Zabelle l'une après l'autre avec tant de cœur qu'elles furent obligées de l'arrêter, craignant qu'il ne s'évanouît de nouveau.

— Allons, allons, dit la Zabelle, il faut retourner chez nous. Non, jamais je ne pourrai quitter cet enfant-là. Je garde vos dix écus, Madeleine, pour payer ce soir si on m'y force. Mais n'en dites rien ; j'irai trouver demain la bourgeoise de Presles pour qu'elle ne nous démente pas. Vous ne pouvez pas prendre cet enfant au moulin, votre mari le tuerait. Laissez-le-moi, je jure d'en avoir autant de soin qu'à l'ordinaire.

Le sort voulut que la rentrée du champi se fit sans que personne y prît garde car il se trouva que la mère Blanchet venait de tomber bien malade, avant d'avoir pu avertir son fils de ce qu'elle avait exigé de la Zabelle. Pendant trois jours on fut sens dessus dessous au moulin. Madeleine ne s'épargna pas, et passa trois nuits debout au chevet de sa belle-mère qui rendit l'esprit entre ses bras.

Ce coup du sort abattit pendant quelque temps la mauvaise humeur du meunier. Il aimait sa mère autant qu'il pouvait aimer, et il mit de l'amour-propre à la faire enterrer selon ses moyens. Il s'avisa même de faire le généreux, en donnant les vieilles nippes de la défunte aux pauvres voisines. Le champi lui-même eut une pièce de vingt sous, parce que, dans un moment où l'on était fort pressé d'avoir des sangsues pour la malade, il avait été en pêcher.

Si bien que Cadet Blanchet avait à peu près oublié sa rancœur. L'affaire des dix écus revint plus tard, car le meunier n'avait pas oublié de faire payer le loyer de sa chétive maison à la Zabelle. Mais Madeleine prétendit les avoir perdus dans les prés en se mettant à courir, à la nouvelle de l'accident de sa belle-mère. Blanchet les chercha longtemps et gronda fort, mais il ne sut pas l'emploi de cet argent.

A partir de la mort de sa mère, le caractère de Blanchet changea peu à peu. Il devint moins avare dans ses dépenses. Et comme il engraissait, et n'aimait pas le travail, il chercha fortune dans des marchés peu honnêtes. Il avait pris une maîtresse qui l'emmenait dans les foires pour mener la vie de cabaret. Il apprit à jouer et fut souvent heureux ; mais, à la moindre perte qu'il essuyait, il devenait furieux contre lui-même et méchant envers tout le monde.

Pendant qu'il menait cette vilaine vie, sa femme, toujours sage et douce, gardait la maison et élevait avec amour leur unique enfant. A mesure que son mari devenait plus débauché, elle devenait moins servante et moins malheureuse. Dans les premiers temps de son libertinage il se montra encore très rude, parce qu'il craignait les reproches. Quand il vit qu'elle ne montrait pas de jalousie, il prit le parti de la laisser tranquille. Sa mère n'étant plus là pour l'exciter contre elle, force lui était bien de reconnaître qu'aucune femme n'était plus économe pour elle-même que Madeleine. Il s'accoutuma à passer des semaines entières hors de chez lui.

Il fallait que Madeleine fût une femme bien chrétienne pour vivre ainsi seule avec une vieille fille et deux enfants. Dieu lui avait fait une grande grâce en lui ayant permis d'apprendre à lire et de comprendre ce qu'elle lisait. C'était pourtant toujours la même chose, car elle n'avait possession que de deux livres, le saint Evangile et un abrégé de la vie des saints. Toutes ces belles histoires lui donnaient des idées de courage et même de gaieté. Et quelquefois, aux champs, le champi la vit sourire et devenir rouge, quand elle avait son livre sur les genoux. Cela l'étonnait beaucoup, et il eut bien du mal à comprendre comment les histoires qu'elle prenait la peine de lui raconter pouvaient sortir de cette chose qu'elle appelait son livre. L'envie lui vint d'apprendre à lire aussi, et il apprit si vite et si bien avec elle qu'elle en fut étonnée. Quand François fit sa première communion, le curé de leur paroisse fut tout réjoui de l'esprit et de la bonne mémoire de cet enfant, qui pourtant passait toujours pour un nigaud.

Comme il était en âge d'être loué, la Zabelle le vit de bon cœur entrer domestique au moulin, et maître Blanchet ne s'y opposa point, car il était devenu clair pour tout le monde que le champi était plus dispos et plus raisonnable que tous les enfants de son âge. Et puis, il se contentait de dix écus de gage. Quand François se vit tout à fait au service de Madeleine et du cher petit Jeannie qu'il aimait tant, et quand il comprit qu'avec l'argent qu'il gagnait, la Zabelle pourrait payer son loyer, il se trouva aussi heureux et riche que le roi.

Malheureusement, à l'entrée de l'hiver, la pauvre Zabelle fit une grosse maladie et, malgré tous les soins du champi et de Madeleine, elle mourut le jour de la Chandeleur. Madeleine la pleura beaucoup, mais elle tâcha de consoler le pauvre champi.

Une fois, il dit à la meunière :

— J'ai comme un regret quand je prie pour l'âme de ma pauvre mère : c'est de ne l'avoir pas assez aimée. Depuis le jour où elle a voulu me reconduire à l'hospice, l'amitié que j'avais pour elle avait, bien malgré moi, diminué dans mon cœur. Du moment où vous avez dit des paroles que je n'oublierai jamais, je vous ai aimée plus qu'elle.

— Et quelles paroles est-ce que j'ai dites, mon pauvre enfant ? Je ne m'en souviens pas.

— Eh bien, vous m'avez dit en m'embrassant : « A présent, tu n'es plus champi, tu as une mère qui t'aimera comme si elle t'avait mis au monde elle-même. »

— Est-ce que tu trouves que j'ai manqué de parole ?

— Oh non ! Seulement...

— Voyons, qu'as-tu qui te manque pour n'être pas mon enfant ?

— Eh bien, c'est que... vous embrassez Jeannie bien souvent, et que vous ne m'avez jamais embrassé depuis le jour dont je parlais tout à l'heure.

— Viens m'embrasser, François, dit la meunière. Tu es bien sûr à présent que tu n'es plus champi, n'est-ce pas ?

L'enfant se jeta au cou de Madeleine. Mais il la quitta au bout d'un moment, et s'enfuit tout seul comme pour se cacher. Elle le chercha et le trouva à genoux dans un coin de la grange et tout en larmes.

— Allons, François, lui dit-elle en le relevant, pourquoi pleures-tu donc ? Tu me fais de la peine.

— Oh non ! Je ne pleure pas, répondit François en essuyant ses yeux et en prenant un air gai ; c'est-à-dire, je ne sais pas pourquoi je pleurais, car je suis content comme si j'étais au paradis.

CHAPITRE V

Depuis ce jour-là, Madeleine embrassa cet enfant matin et soir, et la seule différence qu'elle fit entre Jeannie et François, c'est que le plus jeune était le plus gâté et le plus cajolé. Il n'avait que sept ans lorsque le champi en avait douze. D'ailleurs, François était si grand et si fort, qu'il paraissait un garçon de quinze ans.

Il arriva un matin que la servante dit à Madeleine :

— Ce grand gars est bien grand pour se faire embrasser comme une petite fille. Il est champi, et moi, je n'embrasserais pas ça pour bien de l'argent.

— Ce que vous dites là est mal, Catherine, reprit Mme Blanchet.

— Qu'elle le dise et que tout le monde le dise, répliqua François avec beaucoup de hardiesse. Pourvu que je ne sois pas champi pour vous, madame Blanchet, je suis très content.

— Tiens, voyez donc ! dit la servante. Si j'avais su que tu écoutais, je n'aurais pas dit devant toi ce que j'ai dit, car je n'ai nulle envie de te molester.

Ayant ainsi raccommodé la chose, la grosse Catherine alla faire sa soupe et n'y pensa plus.

Mais le champi suivit Madeleine au lavoir et, s'asseyant auprès d'elle, il lui parla encore comme il savait parler avec elle et pour elle.

— Dites-moi donc, madame Blanchet, est-ce que c'est mal d'être champi ?

— Mais non, mon enfant, puisque ce n'est pas ta faute.

— Et à qui est-ce la faute ?

— C'est la faute aux riches. D'abord sais-tu toi-même ce que c'est que d'être champi ?

— Oui, c'est d'avoir été mis à l'hospice par ses père et mère, parce qu'ils n'avaient pas les moyens de vous nourrir et vous élever.

— C'est ça. Tu vois donc bien que s'il y a des gens assez malheureux pour ne pouvoir pas élever leurs enfants eux-mêmes, c'est la faute aux riches qui ne les assistent pas.

— Ah ! c'est juste ! répondit le champi tout pensif. Pourtant, il y a de bons riches, puisque

vous l'êtes, vous, madame Blanchet.

Cependant le champi ne put jamais comprendre pourquoi, devenant grand, il ne devait plus embrasser Madeleine. C'était le garçon le plus innocent de la terre. Sa grande honnêteté lui venait de ce qu'il n'avait pas été élevé comme les autres. Les autres champis sont presque toujours humiliés de leur sort, et on le leur fait si durement comprendre qu'on leur ôte la fierté de bonne heure. Mais Madeleine avait été pour François ni plus ni moins qu'une bonne mère, et un champi qui rencontre de l'amitié est meilleur qu'un autre enfant.

Il arriva donc à l'âge de quinze ans sans connaître la moindre malice. Et pourtant, depuis le jour où Catherine avait critiqué sa maîtresse sur l'amitié qu'elle lui montrait, cet enfant eut le grand sens et le grand jugement de ne plus se faire embrasser par la meunière. Il comprit, ce pauvre enfant, qu'un champi ne devait pas être aimé autrement qu'en secret. Il était attentif à son ouvrage, et comme, à mesure qu'il devenait grand, il avait plus de travail sur les bras, il advint que peu à peu il fut moins souvent avec Madeleine. Mais, le soir, il restait encore, dans les temps de veillée, pendant une heure ou deux avec elle. Il lui faisait lecture de livres ou causait avec elle pendant qu'elle travaillait.

Les gens de la campagne ne lisent pas vite. Quand ils avaient lu trois pages dans la soirée, c'était beaucoup. Et puis, il y a deux manières de lire. Ceux qui ont beaucoup de temps à eux, et beaucoup de livres, en avalent tant qu'ils peuvent. Ceux qui n'ont ni le temps ni les livres recommencent cent fois la même idée, mais elle est si bien goûtée et digérée que l'esprit qui la tient est mieux nourri et mieux portant, à lui tout seul, que trente mille cervelles remplies de vent et de fadaises.

CHAPITRE VI

Monsieur Blanchet ne regardait plus trop à la dépense qui se faisait chez lui, parce qu'il avait réglé le compte de l'argent qu'il donnait chaque mois à sa femme pour l'entretien de la maison, et que c'était aussi peu que possible. Madeleine pouvait, sans le fâcher, se priver de ses propres aises, et donner à ceux qu'elle savait malheureux autour d'elle, un jour un peu de bois, un autre jour une partie de son repas. Elle s'accoutumait à ne manger presque rien, à ne jamais se reposer. Le champi voyait tout cela, et il s'inquiétait de la fatigue que se donnait la meunière. Et quand elle voulait lui payer son gage, il se fâchait et l'obligeait de le garder en cachette du meunier.

— Qu'est-ce que vous voulez que je fasse avec de l'argent ? Si vous me donnez de l'argent, il faudra donc que vous travailliez encore plus, et si vous veniez à tomber malade et à mourir comme ma pauvre Zabelle, je demande un peu à quoi me servirait de l'argent dans mon coffre ?

— Sois donc tranquille, je n'ai pas envie de mourir. Je suis faite au travail, et même je suis plus forte à présent que je ne l'étais dans ma jeunesse.

— Dans votre jeunesse ! dit François, étonné ; vous n'êtes donc pas jeune ?

— Je crois que je n'ai pas eu le temps de l'être ; et à présent j'ai vingt-cinq ans, et j'ai eu des peines qui m'ont avancée plus que l'âge.

— Des peines ! Oui, mon Dieu ! A l'époque où M. Blanchet vous parlait si durement, je m'en suis bien aperçu. Et à cette heure, il ne vous dit plus rien, vous n'êtes plus malheureuse ?

— Je ne le suis plus ! tu crois ? dit Madeleine un peu vivement, en songeant qu'elle n'avait jamais eu d'amour dans son mariage. Mais elle se reprit, car cela ne regardait pas le champi, et elle ne devait pas lui faire entendre ces idées-là.

— A cette heure, tu as raison, ajouta-t-elle, je ne suis plus malheureuse. Mon mari est beaucoup plus honnête avec moi, mon fils profite bien. Toi aussi tu profites bien, tu te conduis bien, et je suis contente de toi.

— Oh ! si vous n'étiez pas contente de moi, je ne serais rien du tout, après la manière dont vous m'avez traité ! Mais il y a encore autre chose qui devrait vous rendre heureuse, si vous pensiez comme moi. Je souffrirais toutes les peines que peut avoir un homme, et je serais content en pensant que vous avez de l'amitié pour moi. Et si vous pensiez de même, vous diriez : François m'aime tant que je suis contente d'être au monde.

— Tiens ! Tu as raison, mon pauvre cher enfant, répondit Madeleine. De vrai, ton amitié pour moi est un des biens de ma vie. Je ne demande au bon Dieu qu'une chose à présent, c'est de pouvoir rester longtemps comme nous voilà, en famille, sans nous séparer.

— Sans nous séparer, je le crois bien ! dit François. J'aimerais mieux être coupé par morceaux que de vous quitter.

François avait dans tout ce qu'il disait et dans tout ce qu'il pensait comme un avertissement de quelque gros malheur, et à quelque temps de là, ce malheur tomba sur lui.

Il était devenu le garçon du moulin. C'était lui qui allait chercher le blé des clients sur son cheval, et qui le leur reportait en farine. Il allait souvent chez la maîtresse de Blanchet qui demeurait à une petite lieue du moulin. Cette femme-là s'appelait Sévère, et son nom ne lui allait pas très bien car elle n'avait rien de pareil dans son idée. On ne peut pas dire qu'elle fût méchante, car elle était d'humeur réjouissante et sans souci, mais elle rapportait tout à elle. Dans l'idée du champi, ce n'était qu'une diablesse qui réduisait madame Blanchet à vivre de peu.

Pourtant il se trouva que le champi entrait dans ses dix-sept ans, et que madame Sévère estima qu'il était diablement beau garçon. Il était déjà grand, bien bâti ; il avait la peau blanche, même en temps de moisson, et des cheveux qui étaient comme brunets à la racine et finissaient en couleur d'or.

La Sévère vit tout cela petit à petit, et enfin elle le vit si bien, qu'elle se mit en tête de le dégourdir un peu. Voilà ce qu'elle inventa pour se trouver avec lui. Elle fit boire Blanchet plus que de raison, et quand elle vit qu'il n'était plus capable de mettre un pied devant l'autre, elle le recommanda à ses amis de l'endroit pour qu'on le fît coucher. Et alors elle dit à François qui était venu là avec son maître pour conduire ses bêtes en foire :

— Petit, je laisse ma jument à ton maître pour revenir demain matin ; toi, tu vas monter sur la sienne et me prendre en croupe pour me ramener chez moi.

L'arrangement n'était point du goût de François. Mais il avait peur d'elle, parce que comme Blanchet ne voyait que par ses yeux, elle pouvait le faire renvoyer du moulin si jamais il la mécontentait.

CHAPITRE VII

Quand ils se mirent en chemin, la lune n'était pas encore sortie des bois. La Sévère, qui n'était pas si pressée d'arriver à son logis, se mit à faire la dame et à dire qu'elle avait peur, qu'il fallait marcher au pas.

— Bah ! dit François sans l'écouter, n'ayez pas peur, nous trotterons bien tout de même.

Le trot, en descendant, coupait le souffle à la grosse Sévère et l'empêchait de causer, ce dont elle fut contrariée, car elle comptait enjôler le jeune homme avec ses paroles.

Quand ils furent dans le bois de châtaigniers, elle s'avisa de dire :

— Attends, François, il faut t'arrêter : la jument vient de perdre un fer. Descends, et cherche-le.

— Pardine, je le chercherais bien deux heures sans le trouver, dans ces fougères ! Et mes yeux ne sont pas des lanternes.

— Si fait, François, dit la Sévère d'un ton moitié sornette, moitié amitié ; tes yeux brillent comme des vers luisants. Quel âge avez-vous donc, François ? reprit-elle, essayant de lui donner du *vous*, pour lui faire comprendre qu'elle ne voulait plus le traiter comme un gamin. On dit que vous n'avez que dix-sept ans ; mais moi, je gage que vous en avez vingt car vous voilà grand, et bientôt vous aurez de la barbe.

— Ça m'est égal, dit François en bâillant.

— Oui-da ! vous allez trop vite, mon garçon. Voilà que j'ai perdu ma bourse !

Il descendit et l'aida à faire de même. Elle fit mine de chercher sa bourse, qu'elle avait dans sa poche, et il s'en alla à cinq ou six pas d'elle, tenant la jument par la bride. La Sévère chercha sous les pieds de la jument, tout à côté de François, et à cela il vit bien qu'elle n'avait rien perdu, si ce n'est l'esprit.

— Nous n'étions pas encore là, dit-il, quand vous avez crié après votre boursicot. Il ne se peut donc guère que vous le retrouviez par ici.

— Tu crois donc que c'est une frime, malin ? répondit-elle en voulant lui tirer l'oreille ; car je crois que tu fais le malin...

Mais François se recula et ne voulut point batifoler.

— Non, non, dit-il, si vous avez retrouvé vos écus, partons, car j'ai plus envie de dormir que de plaisanter.

La Sévère commença d'enrager ; mais elle ne se rendit pas encore à la vérité. Et la voilà d'essayer de le tromper, et de le pousser sur la gauche quand il voulait prendre sur la droite.

— Vous nous égarez, lui dit-elle.

— Non pas, fit-il, c'est par là. La jument se reconnaît bien aussi, et je n'ai pas envie de passer la nuit à trimer dans les bois.

Si bien qu'il arriva au domaine des Dollins, où demeurait Sévère, sans s'être laissé retarder d'un quart d'heure. Là, elle voulut le retenir. Mais le champi, ennuyé de tant de sottes paroles, mit la jument au galot et s'en revint vivement au moulin, où Madeleine Blanchet l'attendait.

CHAPITRE VIII

En songeant la nuit, madame Sévère se choqua contre le champi, s'avisa qu'il n'était peut-être pas aussi benêt que méprisant, et grands soucis de vengeance lui passèrent par la tête. Le lendemain, lorsque Cadet Blanchet fut de retour auprès d'elle, à moitié dégrisé, elle lui fit entendre que son garçon de moulin était un petit insolent, parce qu'il avait eu l'idée de lui conter fleurette et de l'embrasser en revenant de nuit par les bois avec elle. Et elle se moqua de lui parce qu'il laissait dans sa maison, auprès de sa femme, un valet en âge et en humeur de la désennuyer.

Voilà, d'un coup, Blanchet jaloux de sa maîtresse et de sa femme. Il prend son bâton et il court au moulin.

Par bonheur, il n'y trouva pas le champi. En chemin, il s'était un peu calmé, et il songea que ce champi de malheur n'était plus un petit enfant, et puisqu'il était d'âge à se mettre l'amour en tête, il était bien d'âge aussi à se mettre en colère.

— Madame Blanchet, fit-il en entrant, j'ai un ordre à vous donner : il s'agit de me jeter cela dehors, et plus tôt que plus tard.

— Jeter quoi ? fit Madeleine ébahie.

— Jeter quoi ! Vous n'oseriez dire jeter qui ? cria Cadet Blanchet en bramant comme un taureau. Je vous dis que ce champi est de trop chez moi.

— Voilà de vilaines paroles et une mauvaise idée, dit Madeleine qui ne put se retenir de devenir blanche comme sa cornette. Que vous a donc fait ce pauvre enfant pour que vous le vouliez chasser ?

— Il me fait faire la figure d'un sot, et je n'entends pas être la risée du pays.

Il fallut un peu de temps pour que Madeleine entendît ce que son mari voulait dire. Quand il vit qu'elle s'affligeait de perdre son bon serviteur François, il se remit en humeur de jalousie, jura qu'elle était amoureuse de cette marchandise d'hôpital, et que si elle ne mettait pas ce champi à la porte, il se promettait de l'assommer et de le moudre comme grain.

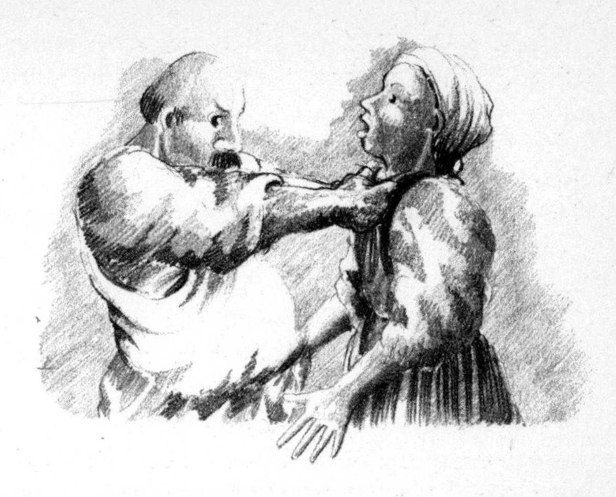

Sur quoi elle lui répondit plus haut qu'elle n'avait coutume, qu'il était bien le maître de renvoyer de chez lui qui bon lui semblait, mais non d'offenser ni d'insulter son honnête femme. Et par ainsi, de mot en mot, elle en vint à lui reprocher son mauvais comportement. Quand Blanchet commença à voir qu'il était dans son tort, la colère fut son seul remède. Il menaça Madeleine de lui clore la bouche d'un revers de main, et il l'eût fait si Jeannie, attiré par le bruit, ne fût venu se mettre entre eux. Blanchet voulut le renvoyer, puis il se leva en jurant qu'il allait tuer le champi.

Quand Madeleine le vit si en fureur, elle lui ôta des mains son bâton et le jeta au loin dans la rivière. Puis elle lui dit :

— Vous ne ferez point votre perte en écoutant votre mauvaise tête. Vous ne tuerez personne.

Allez-vous-en, c'est moi qui vous le commande dans votre intérêt. Je vous jure sur ma foi et mon honneur que demain le champi ne sera plus ici, et que vous pourrez y revenir sans danger de le rencontrer.

Cela dit, Madeleine ouvrit la porte pour faire sortir son mari, et Cadet Blanchet, tout confondu de la voir prendre ces façons-là, replanta son chapeau sur son chef et, sans rien dire de plus, s'en retourna auprès de la Sévère.

Quand Madeleine Blanchet fut toute seule, elle s'en fut au bout de l'écluse du moulin. C'était là qu'elle allait souvent dire ses raisons au bon Dieu, parce qu'elle n'y était pas dérangée et qu'elle pouvait s'y tenir cachée derrière les grandes herbes folles, comme une poule d'eau dans son nid de vertes brindilles. Sitôt qu'elle y fut, elle se mit à deux genoux pour faire une bonne prière ; mais elle ne put songer à autre chose qu'au pauvre champi qu'il fallait renvoyer. Et alors elle pleura tant et tant, qu'elle en tomba tout de son long sur l'herbage, et y demeura privée de sens pendant plus d'une heure.

A la tombée de la nuit, elle tâcha pourtant de reprendre ses esprits, se leva comme elle put et alla préparer le souper. Il ne fallut pas que le champi regardât la meunière par deux fois pour remarquer ses yeux rouges et sa figure toute pâle. « Mon Dieu, se dit-il, il y a un malheur dans la maison. » Mais elle le fit asseoir et lui servit son repas sans rien dire, et il ne put avaler une bouchée.

Quand Jeannie fut couché, Madeleine sortit et fit signe à François d'aller avec elle. Elle descendit le pré et marcha jusqu'à la fontaine. Là, prenant son courage à deux mains :

— Mon enfant, lui dit-elle, le malheur est sur toi et sur moi. Tu vois comment j'en souffre ; par amitié pour moi, tâche d'avoir le cœur moins faible, car si tu ne me soutiens, je ne sais ce que je deviendrai.

François ne devina rien, bien qu'il supposât tout d'abord que le mal venait de M. Blanchet.

— Comment pouvez-vous penser que je manquerai de cœur ? dit-il à Madeleine. Est-ce que je ne suis pas votre enfant qui travaillera pour vous, et qui a bien assez de force à cette heure pour ne vous laisser manquer de rien ? Laissez faire monsieur Blanchet, laissez-le manger son bien, puisque c'est son idée. Moi, je vous nourrirai, je vous habillerai, vous et votre Jeannie.

CHAPITRE IX

— Allons, François, mon fils, lui dit-elle, il ne s'agit pas de cela. Mon mari n'est pas encore ruiné. Mais il s'est monté contre toi, et il ne veut plus te souffrir à la maison.

— Eh bien ! est-ce cela ? dit François en se levant. Qu'il me tue donc tout de suite, puisque aussi bien je ne peux exister après un coup pareil.

Et le pauvre champi se jeta par terre et se frappa la tête de ses poings, comme le jour où la Zabelle avait voulu le reconduire à l'hospice.

Voyant cela, Madeleine retrouva son grand

courage, et le secouant bien fort, elle l'obligea à l'écouter.

— Si vous n'avez pas plus de volonté et de soumission qu'un enfant, lui dit-elle, vous ne méritez pas l'amitié que j'ai pour vous. Vois, mon enfant, c'est à propos pour ma tranquillité et pour mon honneur, puisque, sans cela, mon mari me causera des souffrances et des humiliations. Ainsi, tu dois me quitter tout de suite, parce que j'ai promis que tu seras parti demain matin. Il faut que tu ailles te louer, et pas trop près d'ici, car si nous étions à même de nous revoir souvent, ce serait pire dans l'idée de M. Blanchet.

— Mais quelle est donc son idée, Madeleine ? En quoi me suis-je mal comporté ?

— Mon enfant, ne me demande pas la raison de son idée contre toi ; je ne peux pas te dire. J'en aurais trop de honte pour lui. Ce que je peux t'affirmer, c'est que c'est remplir ton devoir envers moi que de t'en aller. Tous les enfants quittent leur mère pour aller travailler. Tu feras donc comme les autres.

— Ah ! vous croyez que je n'ai pas de courage, parce que j'ai du chagrin ? Moi, je ne songe pas à moi en tout ceci. Ce qui m'angoisse, c'est que je vois venir vos peines.

— Si je trouve un peu de soulagement dans mes peines, ce sera de savoir que tu te comportes bien et que tu te maintiens en courage et santé pour l'amour de moi.

Le champi se rendit, et lui promit de faire tout

son possible pour porter bravement sa peine.

— Allons, dit-il en essuyant ses yeux moites, je partirai de grand matin, et je vous dis adieu ici, ma mère Madeleine ! Je ne veux pas retourner à la maison. Je pourrais bien embrasser mon Jeannie sans l'éveiller, mais je ne m'en sens pas le courage. Vous l'embrasserez pour moi.

Et le pauvre champi se mit à deux genoux en disant à Madeleine que si jamais, contre son gré, il lui avait fait quelque offense, elle eût à la lui pardonner. Madeleine jura qu'elle n'avait rien à lui pardonner, et qu'elle lui donnait une bénédiction dont elle voudrait pouvoir rendre l'effet aussi propice que celle de Dieu.

— Eh bien ! dit François, à présent que je vais redevenir champi et que personne ne m'aimera plus, ne voulez-vous pas m'embrasser comme vous m'avez embrassé, le jour de ma première communion ?

Madeleine embrassa le champi dans le même esprit de religion que lorsqu'il était petit enfant, et elle s'en revint à la maison, où de la nuit elle ne dormit miette. Elle entendit bien rentrer François qui vint faire son paquet dans la chambre à côté, et elle l'entendit aussi sortir à la pointe du jour.

Maître Blanchet arriva sur le midi et ne dit mot, jusqu'à ce que sa femme lui dit :

— Eh bien, il faut aller à la loue pour avoir un autre garçon de moulin, car François est parti.

— Cela suffit, répondit Blanchet, j'y vais aller, et je vous avertis de ne pas compter sur un jeune

— Cadet Blanchet, dit-elle, j'ai obéi à votre volonté. Mais, à mon tour, je vous donne un commandement : c'est de ne pas me faire d'affront, parce que je n'en mérite pas.

Elle dit cela d'une manière que Blanchet ne lui connaissait point et qui fit de l'effet sur lui.

— Allons, femme, dit-il en lui tendant la main, faisons la paix sur cette chose-là et n'y pensons plus. Si je t'ai dit quelque chose qui t'ait déplu, mettons que je plaisantais.

— Ces plaisanteries-là ne sont pas de mon goût, répliqua Madeleine. Gardez-les pour celles qui les aiment.

CHAPITRE X

Dans les premiers jours, Madeleine Blanchet porta assez bien son chagrin. Elle apprit de son nouveau domestique, qui avait rencontré François à la loue, que le champi s'était accordé avec un cultivateur du côté d'Aigurande qui avait un fort moulin et des terres. Elle fut contente de le savoir bien placé. Mais l'ennui la prit de se voir toute seule, et de n'avoir personne à qui causer. Elle en choya d'autant plus son fils, Jeannie. Mais outre qu'il était trop jeune pour comprendre tout ce qu'elle aurait pu dire à François, il n'avait pas pour elle les soins et les attentions qu'au même âge le champi avait eus. Jeannie aimait bien sa mère. Mais il ne s'étonnait et ne s'émeuvait pas tant pour elle que François. Alors que le champi était reconnaissant de la plus petite amitié et l'en remerciait tant qu'en se trouvant avec lui, Madeleine oubliait qu'elle n'avait eu ni repos, ni amour, ni consolation dans son ménage.

Son mari, la voyant traîner un malaise, et prenant en pitié l'air de tristesse et d'ennui qu'elle avait, craignit qu'elle ne fît une forte maladie, et il n'avait pas envie de la perdre, parce qu'elle tenait son bien en bon ordre. Il s'ingénia donc à lui trouver une compagnie, et la chose vint à point que, son oncle étant mort, la plus jeune de ses sœurs, qui était sous sa tutelle, lui tomba sur les bras. En raison de quoi Blanchet l'amena à son moulin et enjoignit sa femme de l'avoir pour sœur et compagne.

Madeleine accepta de bonne volonté ledit arrangement de famille. Mariette Blanchet lui plut tout d'abord, pour l'avantage de sa beauté, et elle reçut la jeune enfant, non pas tant comme une sœur que comme une fille.

Pendant ce temps-là, le pauvre François prenait son mal en patience autant qu'il pouvait. Il commença par en faire une maladie, et ce fut peut-être un bonheur pour lui, car là il éprouva le bon cœur de ses maîtres. Ce meunier-là ne ressemblait guère à Cadet Blanchet, et sa fille, qui avait une trentaine d'années et n'était point encore mariée, était réputée pour sa charité et sa bonne conduite.

Ces gens-là virent bien d'ailleurs que, malgré l'accident, ils avaient fait, au regard du champi, une bonne trouvaille. Il était si solide et si bien bâti qu'il se sauva de la maladie plus vite qu'un autre, et il se mit à travailler avant d'être guéri, ce qui ne le fit point rechuter. On fut bientôt si content de lui, qu'on lui confia la gouverne de bien des choses.

Mais ni les bons traitements, ni l'occupation, ni la maladie, ne pouvaient lui faire oublier Madeleine et son petit Jeannie. Son cœur était toujours loin de lui, et le dimanche, il ne faisait autre chose que d'y songer, ce qui ne le reposait guère des fatigues de la semaine.

CHAPITRE XI

Il y avait environ trois ans que François demeurait au pays d'Aigurande. Un jour d'hiver, son maître, qui s'appelait Jean Vertaud, lui dit :

— François, mon serviteur et mon ami, j'ai un petit discours à te faire, et je te prie de me donner ton attention.

Il y a déjà un peu de temps que nous nous connaissons, toi et moi, et si j'ai beaucoup gagné dans mes affaires, si mon moulin a prospéré, je ne me cache pas que c'est à toi que j'en ai l'obligation. Tu m'as servi, non pas comme un domestique, mais comme un ami et un parent. Je suis donc content de toi, et je voudrais te contenter pareillement pour ma part. Dis-moi donc, franchement, si tu ne souhaites point quelque chose. Car tu as un air, à l'habitude, qui n'est pas d'un homme heureux. Tu n'as point de gaieté, tu ne ris avec personne.

— M'en blâmez-vous, mon maître ? En cela je ne pourrais vous contenter, car je n'aime ni la bouteille ni la danse.

— En quoi tu mérites d'être tenu en grande estime, mon garçon. Si je te parle de cela, c'est parce que j'ai l'impression que tu as quelque souci. Mais puisque tu es honteux je vais t'aider encore. N'es-tu porté d'inclination pour aucune fille du pays ?

— Non, mon maître, répliqua sans hésiter le champi. Je ne veux pas me marier.

— Voilà une idée ! Mais la raison ?

— Je vais vous la dire : je suis champi, je sors de l'hospice.

— Oui-da ! s'exclama Jean Vertaud, un peu surpris par cette confession ; je ne l'aurais jamais pensé.

— Pourquoi ne l'auriez-vous jamais pensé ?... Eh bien, moi, je vais répondre pour vous. C'est que, me voyant bon sujet, vous vous seriez étonné qu'un champi pût l'être. C'est donc une vérité que les champis ne donnent pas de confiance au monde ?

— Non, non, dit le maître en se ravisant car il était un homme juste. Je ne veux pas être contraire à la justice, et si j'ai eu un moment d'oubli là-dessus, tu peux me le pardonner. Donc, tu crois que tu ne pourrais pas te marier, parce que tu es né champi ?

— Ce n'est pas ça, mon maître. Ecoutez : j'ai été tiré de l'hospice par une femme que je n'ai pas connue. A sa mort, j'ai été recueilli par une autre, et quand j'ai eu le malheur de la perdre, je ne me serais pas consolé sans le secours d'une autre femme, pour qui j'ai gardé tant d'amitié que je ne veux pas vivre pour une autre que pour elle. Je l'ai quittée pourtant, et peut-être que je ne la reverrai jamais. Mais il se peut aussi que son mari qui, m'a-t-on dit, est malade depuis l'automne, meure prochainement et lui laisse plus de dettes que d'avoir. Si la chose arrivait, je m'en retournerais dans le pays où elle est, et je n'aurais plus d'autre volonté que de l'assister, elle et son fils. Voilà pourquoi je ne veux point prendre d'engagement qui me retienne ailleurs.

— Eh bien, répondit Jean Vertaud, j'aurais quelque bonne raison à te donner, pour te montrer que tu pourrais épouser une jeune femme qui serait du même cœur que toi, et qui t'aiderait à porter assistance à la vieille ; mais, pour ces raisons-là, j'ai besoin de consulter, et j'en veux causer avec quelqu'un.

Il ne fallait pas être bien malin pour deviner que Jean Vertaud avait imaginé un mariage entre sa fille et François. Elle n'était point vilaine, sa fille, et, si elle avait un peu plus d'âge que François, elle avait assez d'écus pour parfaire la différence. Mais son idée jusqu'à l'heure avait été de ne point se marier, ce dont son père était bien contrarié. Or, comme il voyait depuis un bout de temps qu'elle faisait grand cas de François, il l'avait consultée à son endroit. A la fin, elle avait autorisé son père à tâter François sur l'article du mariage.

L'article du champiage la chagrina bien un peu. Mais le goût lui vint plus éveillé, quand elle apprit que François était récalcitrant sur l'amour. De sorte qu'elle fut décidée ce jour-là pour François, comme elle ne l'avait pas encore été.

— N'est-ce que ça ? disait-elle à son père. Il croit donc que nous n'aurions pas le cœur et les moyens d'assister une vieille femme et de placer son garçon ?

Et le soir, à la veillée, Jeannette Vertaud dit à François :

— Je faisais grand cas de vous, François ; mais j'en fais encore plus, depuis que mon père m'a raconté votre amitié pour une femme qui vous a élevé et pour qui vous voulez travailler toute votre vie. Je voudrais bien connaître cette femme-là : il faut qu'elle soit une femme de bien.

— Oh ! oui, dit François, qui avait du plaisir à parler de Madeleine, c'est une femme qui pense bien, qui pense comme vous autres.

— Je vous aiderai à la soigner, car elle n'est plus jeune, pas vrai ? N'est-elle point infirme ?

— Infirme ? Non, dit François, son âge n'est point pour être infirme.

— Elle est donc encore jeune ? dit la Jeannette Vertaud qui commença à dresser l'oreille.

— Oh ! non, répondit François tout simplement. C'était pour moi comme ma mère, et je ne regardais pas à ses ans.

— Est-ce qu'elle a été bien, cette femme ?

— Bien ? dit François un peu étonné, vous voulez dire jolie femme ? Pour moi elle est bien jolie comme elle est ; mais, je n'ai jamais songé à cela.

— Mais enfin, vous pouvez bien dire environ l'âge qu'elle a ?

— Eh bien, c'est une femme qui n'est pas vieille, mais qui n'est pas bien jeune, c'est approchant comme...

— Comme moi ? dit la Jeannette en se forçant un peu pour rire. En ce cas, si elle devient veuve, il ne sera plus temps pour elle de se remarier.

Le champi, tout simple de cœur qu'il était, n'était pas si simple d'esprit qu'il n'eût fini par comprendre ce qu'on lui insinuait. Il vit bien, les jours suivants, qu'elle avait du souci, et que quand il n'avait point l'air de la voir, elle avait toujours les yeux attachés sur lui. Cette fantaisie le chagrina. Il avait du respect pour cette bonne fille. Mais il n'avait point de goût pour elle.

Cela lui fit songer qu'il n'avait pas pour longtemps à rester chez Jean Vertaud. Mais il lui arriva, dans ce temps-là, une chose qui faillit changer toutes ses intentions.

CHAPITRE XII

Une matinée, M. le curé d'Aigurande vint comme pour se promener au moulin de Jean Vertaud. Là, il prit un air très secret, et demanda au champi s'il était bien François dit la Fraise, nom qu'on lui aurait donné à l'état civil, à cause d'une marque qu'il avait sur le bras gauche. François alla chercher ses papiers, et le curé parut extrêmement content.

— Eh bien ! lui dit-il, venez demain ou ce soir à la cure, et prenez garde qu'on ne sache ce que j'aurai à vous faire savoir.

Quand François fut rendu à la cure, M. le curé

tira de son armoire quatre petits bouts de papier fin et dit :

— François la Fraise, voilà quatre mille francs que votre mère vous envoie. Il m'est défendu de vous dire son nom, ni dans quel pays elle réside, ni si elle est morte ou vivante à l'heure qu'il est. Elle a su que vous étiez bon sujet, et elle vous donne de quoi vous établir à condition que d'ici à six mois vous ne parlerez point du don que voici, si ce n'est à la femme que vous voudriez épouser. On sait qu'on peut compter sur votre foi ; voulez-vous la donner ?

François prêta serment et laissa l'argent à M. le curé, en le priant de le faire valoir comme il l'entendrait.

Le champi s'en vint à la maison plus triste que joyeux. Il pensait à sa mère, et il eût bien donné les quatre mille francs pour la voir et l'embrasser. Mais il se disait aussi qu'elle venait peut-être de mourir, et que son présent était de ces dispositions qu'on prend à l'article de la mort.

Il tâcha bien de ne rien laisser paraître, mais pendant plus d'une quinzaine, il fut comme enterré dans des rêvasseries.

— Ce garçon ne nous dit pas toutes ses pensées, observait le meunier. Il faut qu'il ait l'amour en tête.

« C'est peut-être pour moi, pensait la fille, et il est trop délicat pour s'en confesser. Il a peur qu'on ne le croie affolé de ma richesse plus que de ma promesse. »

Là-dessus, elle se mit en tête de séduire sa farouchеté, et elle le charma si honnêtement en paroles qu'il en fut un peu secoué au milieu de ses ennuis. Et par moments, il se disait qu'il était assez riche pour secourir Madeleine en cas de malheur, et qu'il pouvait bien se marier avec une fille qui ne lui réclamait point de fortune.

Mais voilà que tout d'un coup, à un voyage qu'il fit pour les affaires de son maître, il rencontra un cantonnier-piqueur qui lui apprit la mort de Cadet Blanchet, ajoutant qu'il laissait un grand désordre dans ses affaires, et qu'on ne savait si sa veuve s'en tirerait à bien ou à mal.

Il eut envie de remonter sur son cheval et de courir auprès d'elle ; mais il pensa devoir en demander la permission à son maître.

— Mon maître, dit-il à Jean Vertaud, il me faut partir pour un bout de temps, court ou long, je n'en saurais rien garantir. Et avant de partir, je veux vous trouver un bon ouvrier qui me remplace. Par ainsi, la chose peut s'arranger sans vous porter nuisance, et vous allez me donner une poignée de main pour me porter bonheur.

— Contente-toi, mon garçon, fit Jean Vertaud en lui donnant la main ; je mentirais si je disais que ça ne me fait rien. Mais plutôt que d'avoir différend avec toi, je suis consentant de tout.

François employa la journée qui suivit à se chercher un remplaçant pour le meulage, et il en rencontra un, bien courageux et juste, qui revenait de l'armée. Avant de se mettre en route, François voulut dire adieu à Jeannette Vertaud à l'heure du souper. Elle était assise à la porte de la grange, disant qu'elle avait pleuré, et il en fut tracassé dans son esprit. Il ne savait par quel bout s'y prendre pour la remercier de son bon cœur. Il s'assit à côté d'elle, et s'évertua pour lui parler, sans trouver un pauvre mot. Et quand la pauvre Jeannette vit qu'il restait coi, elle eut honte de son chagrin, se leva tout doucement sans montrer de rancune, et s'en alla dans la grange pleurer tout son comptant.

Il serait faux de dire qu'il n'avait rien senti pour elle en la voyant pleurer. Mais de toutes ces idées-là il se gardait bien, pensant à Madeleine qui pouvait avoir besoin d'un ami, d'un conseil et d'un serviteur.

« Allons ! se dit-il le matin, en s'éveillant avant le jour, Madeleine Blanchet est là dans ton penser pour te dire : « *Garde-toi d'être oublieux, et songe à ce que j'ai fait pour toi* ». Et là-dessus, il marcha grand train. Il alla si vite qu'il ne sentit pas le froid et ne songea ni à boire, ni à manger, ni à souffler, tant qu'il n'eût pas laissé la grand-route et attrapé la croix du Plessys.

Quand il fut là, il se mit à genoux et embrassa le bois de la croix avec l'amitié d'un bon chrétien qui retrouve une bonne connaissance.

Il était environ midi quand il vit le toit du moulin Cormouer au travers des branches défeuillées, et il fut content de voir, à une petite fumée bleue qui montait au-dessus de la maison, que le logis n'était point abandonné aux souris.

Mais il manquait beaucoup d'arbres autour de la maison, et l'endroit était bien changé. La maison paraissait mal entretenue au-dehors ; le toit n'était guère bien couvert, et le four était à moitié écroulé sous l'effet du gel. Et puis, ce qui était encore attristant, c'est qu'on n'entendait remuer dans toute la demeure ni âme, ni corps, ni bêtes, ni gens ; sauf qu'un chien à poil gris vint, en se traînant, se coucher entre ses jambes.

— Oui-da, Labriche, tu m'as reconnu ? lui dit François, te voilà si vieux et si gâté que ta barbe est devenue toute blanche.

CHAPITRE XIII

François poussa à la fin le barreau de la porte et voilà qu'il vit devant lui, au lieu de Madeleine, une belle et jolie jeune fille, vermeille comme une aube de printemps et réveillée comme une linotte, qui lui dit d'un air avenant :

— Qu'est-ce que vous demandez, jeune homme ? Que me voulez-vous ?

François ne la regarda pas longtemps, et il jeta ses yeux tout autour de la chambre pour chercher la meunière. Et tout ce qu'il vit, c'est que les courtines de son lit étaient closes, et que, pour sûr, elle était dedans. Il s'en fut tout droit au lit jaune, et il écarta doucement la courtine ; et là, il vit Madeleine Blanchet tout étendue, toute blême, tout assoupie et écrasée par la fièvre.

Mais Mariette Blanchet referma la courtine et, lui faisant signe d'aller avec elle auprès du foyer :

— Ah çà, le jeune homme, fit-elle, qui êtes-vous et que demandez-vous ?

Mais François, au lieu de lui donner une réponse, lui posa des questions : Depuis combien de temps Mme Blanchet était-elle malade ? Etait-elle en danger et la soignait-on bien ?

A quoi la Mariette lui répondit qu'elle était malade depuis la mort de son mari ; et que, quant à la bien soigner, c'était son devoir de le faire.

A cette parole, le champi la regarda entre les deux yeux, et il n'eut besoin de lui demander son nom, car il surprit dans le joli visage de cette mignonne jeunesse une ressemblance assez marquée avec la triste figure du défunt meunier. Seulement cet air de famille avait été bourru et colérique dans la mine du défunt, et l'air de Mariette était plutôt celui d'une personne qui se moque que d'une qui se fâche. Sa coiffe était bien fine, bien plissée et bien épinglée ; ses cheveux étaient bien luisants, bien peignés ; ses mains étaient bien blanches et son tablier pareillement pour une garde-malade. Enfin, elle était beaucoup trop jeune, pimpante et dégagée pour penser jour et nuit à une personne hors d'état de s'aider elle-même.

Cela fit que François, sans plus rien demander, s'assit à côté de la cheminée, bien décidé à ne point partir de l'endroit. Et Mariette fut bien étonnée de le voir faire si peu de façon et prendre possession du feu, comme s'il entrait en son propre logis.

Mais au bout d'un moment, entra Catherine, la servante de la maison ; et, sans faire attention à lui, elle approcha du lit de sa maîtresse. Elle montrait dans tout son comportement un grand intérêt pour Madeleine, et François, qui sentit la vérité de la chose, eut envie de lui dire un bonjour amical. Mais la Catherine, qui s'était baissée sur le foyer, aperçut ses grandes jambes et se retira tout affolée.

— Qu'est-ce que c'est que ça ? dit-elle à la Mariette en marmottant. D'où sort ce chrétien ?

— Demande-le moi, répondit la fillette, est-ce que je sais ? Il est entré comme dans une auberge, sans dire bonjour ni bonsoir. C'est peut-être un homme qui n'est pas bien.

— Il n'a pourtant pas l'air méchant, autant que je peux le voir. N'ayez pas peur, Mariette, je suis là pour le tenir.

Pendant qu'elles caquetaient ainsi, François se disait : « Voilà cette jeunesse qui est la sœur et l'enfant gâté du défunt qui ne montre pas grand souci sur ses joues. Si elle a pleuré, il n'y paraît guère, car elle a l'œil serein et clair comme un soleil. »

Il ne pouvait pas s'empêcher de la regarder en dessous de son chapeau, car il n'avait encore jamais vu si fraîche et si gaillarde beauté. Mais si elle lui chatouillait un peu la vue, elle ne lui entrait pas pour cela dans le cœur.

— Allons, allons, dit Catherine en chuchotant toujours, je vais lui parler.

— Il ne faudrait point le fâcher, dit la Mariette. Jeannie est peut-être loin et ne nous entendrait crier.

— Jeannie ? fit François qui de tout ce qu'elle babillait n'entendit que le nom de son ancien ami. Où est-il donc, Jeannie, que je ne le vois point ?

« Tiens, tiens, pensa Catherine, il demande ça parce qu'il a de mauvaises intentions peut-être. Qui, Dieu permis, sera cet homme-là ? »

Et comme elle n'était pas femme à reculer devant le diable, elle s'avança tout près de lui ; mais, au même moment, voilà que Madeleine se réveilla et appela Catherine, en disant d'une voix si faible qu'on ne l'entendait quasi point, qu'elle était brûlée de soif.

François se leva si vite qu'il aurait couru le premier auprès d'elle, n'était la crainte de lui causer trop d'émoi. Il se contenta de présenter bien vivement la tisane à Catherine, qui la prit et se hâta de la porter à sa maîtresse. La Mariette se rendit aussi à son devoir en soulevant Madeleine dans ses bras pour la faire boire, car elle était devenue si chétive et fluette que c'était pitié.

— Et comment vous sentez-vous, ma sœur ? lui dit Mariette.

— Bien ! bien ! mon enfant, répondit Madeleine, du ton d'une personne qui va mourir.

— Mais, dit-elle en regardant le champi, ce n'est pas Jeannie qui est là ? Qui est, mon enfant, si je ne rêve, ce grand homme auprès de la cheminée ?

Et la Catherine répondit :

— Nous ne savons pas, notre maîtresse ; il ne parle pas. Mais ne vous en souciez pas, j'allais le faire sortir quand vous m'avez appelée.

— Ne le faites point sortir, dit Madeleine d'un ton plus ferme ; car je le connais, moi, et il a bien agi en venant me voir. Approche, approche, mon fils ; je demandais tous les jours au bon Dieu la grâce de te donner ma bénédiction.

Et le champi d'accourir et de se jeter à deux genoux devant son lit. Madeleine lui prit les deux mains et puis la tête, et l'embrassa en disant :

— Appelez Jeannie, pour qu'il soit bien content aussi. Ah ! je remercie le bon Dieu, François, car voilà tous mes enfants élevés, et j'aurai pu leur dire adieu.

CHAPITRE XIV

Catherine courut vivement chercher Jeannie, et Mariette la suivit pour la questionner. François demeura seul avec Madeleine qui l'embrassa encore et se prit à pleurer ; puis elle ferma les yeux et devint encore plus accablée et faible qu'elle ne l'était avant. Et François ne pouvait que la tenir dans ses deux bras, en l'appelant sa chère mère, et en la priant, comme si la chose était en son pouvoir, de ne pas trépasser si vite et sans entendre ce qu'il voulait lui dire.

Et par tant de bonnes paroles, il la ramena de sa faiblesse. Elle recommença à le voir et à l'écouter.

Et il lui disait qu'il était venu pour ne plus s'en aller, tant qu'elle lui dirait de rester. Et Madeleine le regardait d'un air si serein qu'ils se trouvaient heureux et contents malgré le malheur de cette maladie.

Jeannie vint à son tour partager leur joie. Il était devenu un joli garçon entre les quatorze et les quinze ans, pas bien fort, mais vif à plaisir.

— Oh ! je suis content de te voir comme te voilà, mon Jeannie, lui disait François. Tu n'es pas bien grand ni bien gros, mais ça me fait plaisir, parce que je m'imagine que tu auras encore besoin de moi pour monter sur les arbres et passer la rivière. Nous allons si bien la soigner, ta mère mignonne, et la réconforter, et la faire rire petit à petit, que sa fatigue s'en ira.

Catherine était sur le pas de la porte ; mais la Mariette la tenait par le bras, et ne cessait pas de la questionner.

— Comment, disait-elle, c'est un champi ? Il a pourtant un air bien honnête ! Mais comment donc est-il si ami de Madeleine ? Elle ne m'en a jamais parlé ; ni toi, non plus.

— Ah ! dame ! moi, je n'y ai jamais songé. Et puis je savais que notre maîtresse avait eu des peines par rapport à lui.

— Des peines ? Quelles peines donc ?

— Dame ! parce qu'elle s'y était attachée, et votre frère n'a pas voulu le souffrir à la maison. Mais laissez-moi donc rentrer, demoiselle ; je veux le faire dîner, ce garçon.

Et elle s'échappa pour aller embrasser François.

— Ah ! mon François, lui dit-elle, je suis aise de te voir. Mais voyez donc, notre maîtresse, comme il est devenu ? Est-il beau ! L'est-il ! Et qu'il commence à avoir de la barbe, oui ! Et le voilà fort, mon ami ! quels bras, quelles mains, et des jambes ! Un ouvrier comme ça en vaut trois.

Madeleine riait tout doucement de voir Catherine si contente de François. Et quant à Mariette, elle avait honte de voir Catherine si hardie à regarder un garçon, et elle était toute rouge sans penser à mal. Mais plus elle se défendait de regarder François, plus elle le voyait et le trouvait comme Catherine le disait, beau à merveille et planté sur ses pieds comme un jeune chêne.

Et voilà que, sans y songer, elle se mit à le servir honnêtement, à lui verser du vin gris de l'année et à le réveiller quand, à force de regarder Madeleine et Jeannie, il oubliait de manger.

— Ne faites pas attention à moi, demoiselle, lui dit à la fin François. Je suis trop content d'être ici pour avoir grande envie de manger et de boire. Montre-moi un peu le moulin et la maison, dit-il à Catherine, car tout ça m'a paru négligé.

Et quand il l'eut menée dehors, il la questionna sur l'état des affaires.

— Ah ! François, dit Catherine en commençant à pleurer, si personne ne vient en aide à ma pauvre maîtresse, je crois bien que cette méchante femme lui fera manger tout son bien en procès.

— Quelle méchante femme tu veux dire ? La Sévère ?

— Eh oui ! pardi ! Elle ne s'est pas contentée de faire ruiner notre défunt maître. Elle dit que Cadet Blanchet lui a fait des billets et que, quand elle aura fait vendre tout ce qui nous reste, elle ne sera pas encore payée. Tous les jours elle nous envoie des huissiers.

— Continue à bien soigner ta maîtresse, et n'aie souci du reste, lui dit François. J'ai gagné un peu d'argent chez mes maîtres, et j'apporte de quoi sauver les chevaux, la récolte et les arbres. Quant au moulin, il faut que Jeannie coure tout de suite pour dire à tous les clients que le moulin crie comme dix mille diables, et que le meunier attend la farine.

— Et un médecin pour notre maîtresse ?

— J'y ai pensé, mais je veux la voir encore aujourd'hui jusqu'à la nuit pour me décider là-dessus. J'ai dans ma tête que Mme Blanchet guérira bientôt en voyant du secours dans ses affaires. Et avant que nous finissions ces propos, Catherine, dis-moi ce que tu penses de ta jeune maîtresse, Mariette Blanchet ?

— Oh da ! elle est jolie fille ! Auriez-vous pris déjà l'idée de l'épouser ?

— Je n'ai pas le temps de penser au mariage. Ce que je veux savoir de toi, c'est si cette fille est meilleure que son défunt frère.

— Jusqu'à l'heure, c'est sans malice et sans idée de grand-chose. Ça n'a jamais souffert, nous ne saurions dire ce que ça deviendra. Mais elle n'est pas aussi ennemie de la Sévère que ça me plairait.

— Ça suffit, Catherine, je ne t'en demande pas plus.

Les choses que François avait annoncées à la Catherine, il les fit fort bien. Dès le soir, par la diligence de Jeannie, il arriva du blé à moudre, et le moulin était en état. Le brave François travailla jusqu'à deux heures du matin, et à quatre il était déjà debout. Il entra à petits pas dans la chambre de la Madeleine, et, trouvant là la bonne Catherine qui veillait, il s'enquit de la malade. Et comme Catherine refusait de quitter sa maîtresse avant que Mariette fût levée, François lui demanda à quelle heure se levait la beauté du Cormouer.

— Pas avant le jour, fit Catherine.

— Eh bien, tu vas te coucher à présent ! dit François, et j'attendrai ici la demoiselle. Je m'occuperai à examiner les papiers du défunt. Où sont-ils ?

— Là, dans le coffre à Madeleine, dit Catherine. Je vais vous allumer la lampe, François.

Et elle s'en fut coucher, obéissant au champi comme au maître de la maison, tant il est vrai de dire que celui qui a bonne tête et bon cœur commande partout et que c'est son droit.

CHAPITRE XV

Avant de se mettre à l'ouvrage, François, dès qu'il fut seul avec Madeleine et Jeannie, s'en vint regarder comment dormait la malade, et il trouva qu'elle avait bien meilleure mine qu'à son arrivée. Il fut content de penser qu'elle n'aurait pas besoin de médecin, et que lui tout seul, par la consolation qu'il lui donnerait, il lui sauverait sa santé et son sort.

Il se mit à examiner les papiers. Outre tout ce que la Sévère avait mangé et fait manger à Cadet Blanchet, elle prétendait encore être créancière de deux cents pistoles, et Madeleine n'avait guère plus de son propre bien, réuni à l'héritage laissé à Jeannie par Blanchet, héritage qui se réduisait au moulin et à ses dépendances, car tous les champs et toutes les autres terres avaient fondu comme neige dans les mains de Cadet Blanchet.

« Dieu merci ! pensa François, j'ai quatre cents pistoles chez monsieur le curé d'Aigurande, et en supposant que je ne puisse pas mieux faire, Madeleine conservera du moins sa dot. Mais je crois bien qu'on pourra s'en tirer à moins. D'abord savoir si les billets souscrits par Blanchet à la Sévère n'ont pas été extorqués par ruse, ensuite faire un coup de commerce sur les terres vendues. »

La chose était que Blanchet, deux ou trois ans avant sa fin, avait vendu à bas prix et à quiconque s'était présenté, faisant par-là passer ses créances à la Sévère et croyant se débarrasser d'elle et des compères qui l'avaient aidée à le ruiner. Mais presque tous ceux qui s'étaient pressés d'acheter, alléchés par la bonne senteur de la terre fromentale, n'avaient sou ni maille pour payer, et c'est à grand-peine qu'ils soldaient les intérêts. Ça pouvait durer comme cela dix et vingt ans ; c'était de l'argent placé pour la Sévère et ses compagnons, mais mal placé, et elle en murmurait fort contre la grande hâte de Cadet Blanchet, craignant bien de n'être jamais payée. Du moins, voilà ce qu'elle disait ; mais c'était une spéculation comme une autre.

En voyant toute cette manigance, François songeait au moyen de ravoir les terres à bon marché sans ruiner personne. La chose n'était point aisée. Il avait de l'argent en suffisance pour ravoir quasiment le tout au prix de vente. La Sévère ni personne ne pouvait refuser le remboursement. Mais ce que François redoutait fort, c'est cette chaude fièvre du paysan qui ne veut pas se départir de sa glèbe. Il se torturait beaucoup la cervelle pour trouver le moyen par lequel décider les acheteurs à lui revendre. Et celui qu'il trouva à la fin, ce fut de leur couler dans l'oreille un beau petit mensonge, comme quoi la Sévère avait plus de dettes qu'il n'y a de trous dans un tamis. Il se fit conscience pourtant de cette menterie, jusqu'à ce que lui vint l'idée de faire à chacun des pauvres acquéreurs un petit avantage pour les compenser des intérêts qu'ils avaient déjà payés. Quant à la Sévère et au discrédit que son propos pourrait lui occasionner, il ne s'en fit conscience aucune. La poule peut bien essayer de tirer une plume à l'oiseau méchant qui lui a plumé ses poussins.

Là-dessus Jeannie s'éveilla ; puis, ayant dit bonjour à François, il s'empressa d'aller avertir le restant des clients que le désarroi du moulin était raccommodé, et qu'il y avait un beau meunier à la meule.

Le jour était déjà grand quand Mariette Blanchet sortit du nid.

— Comment ! fit-elle en voyant François ranger des papiers dans la chambre de Madeleine, vous êtes donc à tout ici, monsieur le meunier !

Vous faites la farine, vous faites les affaires, vous faites la tisane ; bientôt on vous verra coudre et filer...

— Et vous, demoiselle, dit François, je ne vous ai encore vue ni filer ni coudre ; m'est avis que bientôt on vous verra dormir jusqu'à midi.

— Oui-da, maître François, voilà déjà que nous nous disons des vérités... Prenez garde à ce jeu-là ; j'en sais dire aussi. Mais où est donc passée Catherine, que vous êtes là à garder la malade ? Vous faudrait-il une coiffe et un jupon ?

— Sans doute que vous demanderez donc une blouse et un bonnet pour aller au moulin ? Car, ne faisant pas ouvrage de femme, vous souhaitez tourner la meule.

— On dirait que vous me faites la leçon ? Bon ! bon ! vous aimez rire et lutiner. Mais nous ne sommes pas en joie ici. Il n'y a pas longtemps que nous étions au cimetière.

— C'est pour cela que vous ne devriez pas tant lever la voix, demoiselle.

— Assez, s'il vous plaît, maître François, dit la Mariette en baissant le ton, mais en devenant toute rouge de dépit ; faites-moi l'amitié de voir si Catherine est par là.

— Faites excuse, demoiselle, dit François. Voilà quinze nuits qu'elle passe ici, sans vous offenser. Je l'ai envoyée coucher.

— Ecoutez, maître François, fit la petite, changeant de ton subitement, vous avez l'air de vouloir me dire que je ne pense qu'à moi. Vous agissez trop comme si vous étiez le chef de famille, et pourtant...

— Allons, dites, la belle Mariette, dites ce que vous avez au bout de la langue. Et pourtant, je n'y ai droit, étant champi !

Et en répondant tout droit à la Mariette, François la regardait d'une manière qui la fit rougir jusqu'au blanc des yeux, car elle vit qu'il avait l'air d'un homme sévère et bien sérieux. Se trouvant toute confondue et embarrassée, elle eut peine à se retenir de pleurer. Mais il lui dit amicalement :

— Vous ne m'avez point fâché, Mariette. Seulement il faut bien que je vous dise comment je pense. Je pense que si vous aimez votre belle-sœur, il faut vous réveiller un peu plus matin, soigner Madeleine, consoler Jeannie, soulager Catherine, et surtout fermer vos oreilles à l'ennemie de la maison, qui est madame Sévère, une mauvaise âme, croyez-moi.

— Et à présent, dit la Mariette un peu sèchement, vous me direz de quel droit vous me souhaitez de penser à votre mode.

— Mon droit est le droit de l'enfant reçu et élevé ici par la charité de madame Blanchet ; ce qui est cause que j'ai le devoir de l'aimer comme ma mère.

— Je n'ai rien à blâmer là-dessus, reprit la Mariette.

— Ça me va, dit François, donnez-moi une poignée de main.

Et il s'avança à elle en lui tendant sa grande main. Mais cette enfant de Mariette fut tout à coup piquée de la mouche de la coquetterie et, retirant sa main, elle lui dit que ce n'était pas convenable à une jeune fille de donner comme cela la main à un garçon. Ce dont François se mit à rire et la laissa, voyant bien qu'elle n'était pas franche.

Il alla vers Madeleine qui venait de s'éveiller, et qui lui dit :

— J'ai bien dormi, mon fils, et le bon Dieu me bénit de me montrer ta figure première à mon éveil.

Puis, elle dit aussi des paroles d'amitié à Mariette, s'inquiétant qu'elle eût passé la nuit à la veiller. Mariette s'attendait à ce que François dise qu'elle s'était même levée bien tard ; mais François ne dit rien et la laissa avec Madeleine, qui voulait essayer de se lever, ne se sentant plus de fièvre.

Au bout de trois jours, elle se trouva même si bien qu'elle put causer de ses affaires avec François.

— Tenez-vous en repos, ma chère mère, lui dit-il. Laissez-moi faire, ne démentez rien de ce que je dirai. Je m'en vais à la ville consulter les hommes de loi.

Quant il eut pris conseil et renseignement des hommes de loi, il vit bien que les derniers billets que Blanchet avait souscrits à la Sévère pouvaient être matière à un bon procès. François ne voulait pas donner à madame Blanchet le conseil de s'en remettre au sort des procès, mais il pensa raisonnablement terminer la chose par un arrangement ; et comme il lui fallait quelqu'un pour porter la parole à l'ennemi, il s'avisa d'un plan qui réussit au mieux.

Depuis trois jours, il avait assez observé la petite Mariette pour voir qu'elle allait tous les jours se promener du côté des Dollins, où résidait la Sévère, à cause surtout qu'elle y rencontrait du jeune monde de sa connaissance et des bourgeois qui lui contaient fleurette. Elle se plaisait aux compliments et en avait soif comme une mouche du lait. Elle se cachait grandement de Madeleine pour faire ses promenades. François vit la chose, n'en sonna mot à la maison, et s'en servit comme je vais vous le faire savoir.

CHAPITRE XVI

Il alla se planter sur son chemin, au gué de la rivière ; et comme elle prenait la passerelle, elle y trouva le champi à cheval sur la planche. Elle devint rouge comme une cenelle, et si elle n'eût manqué de temps pour faire semblant d'être là par hasard, elle aurait viré de côté.

— Çà, monsieur le meunier, fit-elle, payant de hardiesse, ne vous rangeriez-vous pas un brin pour laisser passer le monde ?

— Non, demoiselle, répondit François, car c'est moi qui suis le gardien de la passerelle, et je réclame de tout un chacun droit de péage.

— Est-ce que vous devenez fou, François ? Ce n'est pas un endroit pour badiner ; vous me feriez tomber dans l'eau.

— Vous croyez donc que j'ai envie de rire avec vous ? Otez cela de votre idée, demoiselle : je vais vous laisser passage, si vous me donnez la permission de vous suivre un bout de chemin pour causer avec vous.

— Ça ne me convient pas du tout, dit la Mariette. Qu'est-ce qu'on dirait de moi dans le pays, si on me rencontrait seule par les chemins avec un garçon qui n'est pas mon prétendu ?

— C'est juste, dit François, la Sévère n'étant point là pour vous faire porter respect, il en serait parlé ; voilà pourquoi vous allez chez elle, afin de vous promener dans son jardin avec tous vos prétendus. Eh bien, pour ne pas vous gêner, je m'en vais vous parler ici ! Vous voyez votre belle-sœur Madeleine dans l'embarras, et vous voudriez l'en retirer, pas vrai ? Eh bien, ma bonne demoiselle, vous pouvez rendre un grand service à Madame Blanchet ! Puisque vous êtes bien avec la Sévère, il vous faut rendre cette femme prête à un accommodement. Faites-lui entendre que si elle n'exige point que nous garantissions le paiement des terres, nous pourrons payer les billets ; mais que, si elle ne nous permet pas de nous libérer d'une dette, nous n'aurons pas de quoi payer l'autre.

— Et si, par hasard, je la décidais, François, qu'est-ce qui vaudrait mieux pour ma belle-sœur, payer les billets ou être dégagée de la caution ?

— Payer les billets sera le pire, car ce sera le plus injuste. On peut contester sur ces billets, et plaider ; mais pour plaider, il faut de l'argent. Ainsi la Sévère ne risque rien à nous rendre la liberté, et elle s'assure le paiement de ses billets.

— Je ferai comme vous l'enseignez, dit la Mariette.

Et elle s'en alla aux Dollins, bien contente d'avoir une belle excuse pour s'y montrer. La Sévère fit mine de goûter ce qu'elle lui conta ; mais au fond elle se promit de ne pas aller vite. Elle avait toujours détesté Madeleine Blanchet ; elle croyait la tenir dans ses mains griffues pour tout le temps de sa vie, et elle eût mieux aimé renoncer aux billets qu'au plaisir de la molester en lui faisant porter l'endosse d'une dette sans fin.

François savait bien la chose, et il voulait l'amener à exiger le paiement de cette dette-là. Mais quand Mariette vint lui rapporter la réponse, il vit qu'on l'amusait par des paroles. Pour l'y faire arriver d'un coup de collier, il prit Mariette à part deux jours après :

— Il ne faut, dit-il, point aller aujourd'hui aux Dollins. Votre belle-sœur a appris que vous y alliez un peu plus souvent que tous les jours, et elle dit que ce n'est pas la place d'une fille comme il faut. J'ai essayé de lui faire entendre à quelles fins vous fréquentiez la Sévère dans son intérêt, mais elle m'a blâmé ainsi que vous. Elle dit qu'elle aime mieux être ruinée que de vous voir perdre l'honneur.

François avait bien jugé l'humeur de la petite Mariette, qui était intempestive et combustible comme celle de son défunt frère.

— Oui-da et pardi ! s'exclama-t-elle, on va obéir comme une enfant de trois ans à une belle-sœur ! Et où prend-elle que je perds mon honneur ? Et que sait-elle de la Sévère, qui en vaut bien une autre ? Ma belle-sœur est injuste parce qu'elle est en discussion d'intérêts avec elle. Et moi qui ai la complaisance de me mêler de leurs différends qui ne me regardent pas, voilà comme j'en suis remerciée.

— Je vois que vous êtes trop pressé d'y aller ! dit François qui voulait faire monter toute l'écume de la cuve. La chose que vous aviez à dire pour les affaires de Madeleine est dite. N'y retournez donc plus, ou bien je croirai, comme Madeleine, que vous n'y allez avec de bonnes intentions.

— C'est donc décidé, maître François, fit

Mariette tout en feu, que vous allez aussi faire le maître avec moi ? Vous vous croyez l'homme de chez nous, le remplaçant de mon frère. Je vous conseille de me laissser en paix. Si ma belle-sœur me demande, vous lui direz que je suis chez la Sévère, et si elle vous envoie me chercher, vous verrez bien comment vous serez reçu !

Là-dessus elle s'en fut de son pied léger aux Dollins ; mais comme François avait peur que sa colère ne refroidît en chemin, vu que d'ailleurs le temps était à la gelée, il lui laissa un peu d'avance et la rattrapa, pour lui faire croire qu'il était envoyé par Madeleine à sa poursuite.

Là, il la picota en paroles jusqu'à lui faire lever la main. Mais il esquiva les tapes, il se sauva, et dès qu'elle fut chez la Sévère, elle y fit grand éclat. Ce n'est pas que la pauvre enfant eût de mauvaises intentions, mais dans la première flambée de sa fâcherie, elle ne savait s'en cacher, et elle mit la Sévère dans un si grand courroux que François, qui s'en allait à petits pas par le chemin creux, les entendait gronder et siffler comme le feu dans une grange à paille.

CHAPITRE XVII

L'affaire réussit à son souhait, et il en était si certain qu'il partit le lendemain pour Aigurande, où il prit son argent chez le curé, et s'en revint à la nuit, rapportant ses quatre petits papiers fins qui valaient gros. Au bout de huit jours, on eut des nouvelles de la Sévère. Tous les acquéreurs des terres de Blanchet étaient sommés de payer, aucun ne pouvait, et Madeleine était menacée de payer à leur place.

Dès que la connaissance lui en vint, elle entra en grande crainte, car François ne l'avait encore avertie de rien.

— Bon ! lui dit-il, se frottant les deux mains, il n'est marchand qui toujours gagne, ni voleur qui toujours pille. Madame Sévère va manquer une belle affaire et vous allez en faire une bonne. C'est égal, ma mère, faites comme si vous vous croyiez perdue. Mais vous allez, en payant la Sévère, reprendre tous les héritages de votre fils.

— Et avec quoi veux-tu que je la paie, mon enfant ?

— Avec de l'argent qui est dans ma poche et qui est à vous.

Madeleine voulut s'en défendre, mais le champi avait la tête dure. Il courut chez le notaire déposer deux cents pistoles au nom de la veuve Blanchet, et la Sévère fut payée bel et bien, bon gré mal gré, ainsi que les créanciers de la succession, qui faisaient cause commune avec elle.

Et quand la chose fut amenée à ce point que François eut même indemnisé les pauvres acquéreurs de leurs souffrances, il lui restait encore de quoi plaider, et il fit savoir à la Sévère qu'il allait entamer un bon procès au sujet des billets qu'elle avait soutirés au défunt par fraude et malice. Il répandait un conte qui fit grand train dans le pays. C'est qu'en fouillant dans un vieux mur du moulin pour y planter un étai, il avait trouvé la tirelire de la défunte vieille mère Blanchet, tout en beaux louis d'or à l'ancien coin, et que, par ce moyen, Madeleine se trouvait plus riche qu'elle ne l'avait jamais été. De guerre lasse, la Sévère entra en arrangement, espérant que François s'était mis un peu de ces écus, trouvés si à propos, au bout des doigts, et qu'en l'amadouant elle en verrait encore plus qu'il n'en montrait. Mais il la mena par un chemin si étroit qu'elle rendit les billets en échange de cent écus.

Alors, pour se venger, elle monta la tête de la petite Mariette, en l'avisant que la tirelire de la vieille Blanchet, sa grand-mère, aurait dû être partagée entre elle et Jeannie, qu'elle y avait droit, et qu'elle devait plaider contre sa belle-sœur.

Force fut alors au champi de dire la vérité sur la source de l'argent qu'il avait fourni, et le curé d'Aigurande lui en envoya les preuves en cas de procès.

Il commença par montrer ces preuves à Mariette, en lui démontrant qu'elle n'avait plus qu'à se tenir tranquille. Mais la Mariette n'était pas tranquille du tout. C'est qu'au milieu de ses disputes et de ses engagements contre François, elle s'était éprise de lui tout doucement. Plus il la tançait de ses caprices et de ses manquements, plus elle devenait enragée de lui plaire. Elle n'était pas fille à se dessécher de chagrin ; mais elle n'avait point de repos en songeant que François était si beau garçon, si riche, si honnête, qu'il était homme à donner jusqu'à la dernière once de son sang pour la personne qu'il aimerait ; et que tout cela n'était point pour elle.

Un jour, elle en ouvrit son cœur à sa mauvaise amie, la Sévère. Le mois de mai était venu, et la Mariette étant à garder ses ouailles au bord de la rivière, la Sévère vint babiller avec elle sous un pommier fleuri. Mais, par la volonté de Dieu, François, qui se trouvait aussi par là, entendit leurs paroles ; car en voyant la Sévère entrer dans le patural, il marcha sur le bord de la rivière, au-dessous des buissons, s'assit, sans souffler, sur le sable, et ne mit pas ses oreilles dans sa poche.

D'abord la Mariette avait confessé que de tous ses galants pas un ne lui plaisait, à cause d'un meunier qui n'était pas du tout galant avec elle, et qui seul l'empêchait de dormir. Mais la Sévère avait idée de la marier avec un gars de sa connaissance, lequel en tenait fort, à telles enseignes qu'il avait promis un gros cadeau de noces à la Sévère si elle venait à bout de le faire marier avec la petite Blanchet. Aussi fit-elle tout de son mieux pour dégoûter Mariette de François.

— Foin du champi ! lui dit-elle. Comment, Mariette, vous auriez donc nom madame la Fraise ? Car il ne s'appelle pas autrement. Et puis vous seriez obligée de le disputer à votre belle-sœur, car il est son bon ami.

— Là-dessus, Sévère, fit la Mariette en se récriant, vous me l'avez donné à entendre plus d'une fois ; mais je n'y saurais point croire ; ma belle-sœur est d'un âge...

— Non, non, Mariette, votre belle-sœur n'est point d'un âge à s'en passer ; elle n'a guère que trente ans, et ce champi n'était encore qu'un galopin, que votre frère le trouva en grande accointance avec sa femme.

François eut la bonne envie de sauter à travers le buisson et d'aller dire à la Sévère qu'elle en avait menti, mais il s'en défendit et resta coi.

— Alors, fit la Mariette, il essaie de l'épouser, à présent qu'elle est veuve : il lui a déjà donné bonne part de son argent, et il voudra avoir au moins la jouissance du bien qu'il a racheté.

— Mais Madeleine en cherchera un plus riche, à présent qu'elle l'a dépouillé, et elle le trouvera.

— Si c'est là le train qu'elle mène, dit la Mariette toute dépitée, me voilà dans une maison bien honnête ! Savez-vous, ma pauvre Sévère, que je suis une fille mal logée, et qu'on va mal parler de moi ? Eh bien, je vais la saluer, moi, et m'en aller demeurer avec vous !

— Il y a meilleur remède, Mariette, c'est de vous marier au plus tôt. Elle ne vous refusera pas son consentement, car elle est pressé, j'en suis sûre, de se voir débarrassée de vous. Vous gênez son commerce avec le beau champi. Mariez-vous donc, et prenez celui que je vous conseille.

— C'est dit ! fit la Mariette en cassant son bâton de bergère d'un grand coup contre le vieux pommier. Allez le chercher, Sévère, qu'il vienne ce soir à la maison me demander, et que nos bans soient publiés dimanche qui vient.

CHAPITRE XVIII

Jamais François n'avait été plus triste qu'il ne le fut en sortant de la berge de rivière où il s'était caché. Tout au beau milieu de son chemin en s'en revenant, il perdit presque le courage de rentrer à la maison, et s'en fut s'asseoir dans la petite futaie de chênes qui est au bout du pré. Quand il fut tout seul, il se prit à pleurer comme un enfant ; car il était tout à fait honteux de penser que sa pauvre chère amie Madeleine ne retirerait de sa bonne intention que l'injure d'être maltraitée par les mauvaises langues.

« Mon Dieu ! disait-il tout seul, est-il possible

qu'une femme comme la Sévère ait tant d'insolence ? Et cette jeunesse de Mariette, voilà qu'elle écoute les paroles du diable ! En ce cas, presque tout le monde pensera que si j'aime madame Blanchet et si elle m'aime, c'est parce qu'il y a de l'amour sous jeu. »

Là-dessus, le pauvre François se mit à faire examen de conscience et à se demander s'il n'y avait pas de sa faute dans les mauvaises idées de la Sévère.

« Eh ! quand bien même mon amitié se serait tournée en amour, quel mal le bon Dieu y trouverait-il, au jour d'aujourd'hui qu'elle est veuve et maîtresse de se marier ? Elle m'a aimé comme son fils, ce qui est la plus forte de toutes les amitiés, elle pourrait bien m'aimer encore autrement. Je vois que ses ennemis vont m'obliger à la quitter, si je ne l'épouse pas ; et la quitter encore une fois, j'aime autant mourir. Comment donc est-ce que je n'y avais pas encore songé, et qu'il a fallu une langue de serpent pour m'en aviser ? Voyons, tout est pour le bien dans la volonté du ciel, et madame Sévère, en voulant faire le mal, m'a rendu le service de m'enseigner mon devoir. »

Et François reprit son chemin, décidé à parler tout de suite à Mme Blanchet de son idée. Mais quand il vit Madeleine qui filait de la laine sur le pas de sa porte, pour la première fois de sa vie sa figure lui fit un effet à le rendre tout peureux et tout morfondu. Au lieu qu'à l'habitude il allait tout droit à elle en la regardant avec des yeux bien ouverts, il s'arrêta sur le petit pont et il la regardait de côté. Alors Madeleine l'appela, lui disant :

— Viens donc auprès de moi, car j'ai à te parler, mon François. Donne-moi ton cœur comme au prêtre qui nous confesse, car je veux de toi la vérité. Voilà que tu es dans tes vingt et un ans, et que tu peux songer à t'établir : n'aurais-tu point d'idée contraire ?

— Non, non, répondit François en devenant tout rouge de contentement.

— Bien ! fit-elle, puisque c'est ton idée, c'est la mienne aussi. J'attendais de connaître si la personne te prendrait en amitié, et je jurerais que si elle n'en tient pas encore, elle en tiendra bientôt... Eh bien donc, pourquoi me regardes-tu d'un air confondu ? Mais je vois que tu as honte, et qu'il faut te venir en aide. Moi j'ai bien vu que tu l'aimes, cette pauvre enfant, et que si tu la reprends un peu de ses petites fantaisies, c'est que tu te sens un brin jaloux.

— Je voudrais bien savoir, dit François tout chagriné, de qui vous me parlez, ma chère mère, car pour moi je n'y entends rien.

— Tu ne sais pas ? dit Madeleine. Est-ce que j'aurais rêvé cela, ou que tu voudrais m'en faire un secret ?

— Un secret à vous ? dit François en prenant la main de Madeleine, qu'il laissa enfin, car il se sentit comme s'il allait pleurer, comme s'il allait se fâcher, comme s'il allait avoir un vertige, et tout cela coup sur coup.

— Allons, dit Madeleine étonnée, tu as du chagrin, mon enfant, preuve que tu es amoureux.

François se leva en pied, puis il répondit à Madeleine :

— Tant qu'à moi, je sais fort bien que mademoiselle Mariette n'a ni goût ni estime pour moi.

— Voilà comment le dépit vous fait parler, enfant ! dit Madeleine. Est-ce que ne je vois point qu'elle quitte le pâturage tous les jours ? Mais enfin je ne veux point la contrarier, ni lui parler de moutons quand elle a la tête tout en combustion pour l'amour et le mariage. C'est un grand bonheur pour elle, François, qu'au lieu de s'éprendre de quelqu'un de ces mauvais sujets dont j'avais crainte qu'elle ne fît la connaissance chez Sévère, elle ait eu le grand jugement de s'attacher à toi.

— Vous êtes bonne, ma chère mère, dit François tout attristé. Mais ne me parlez plus d'elle. Je vous jure bien mon sang et ma vie, que je n'en suis pas plus amoureux que de la vieille Catherine. Ne tentez donc pas à lui faire dire qu'elle m'aime. Tout au contraire, écoutez ce qu'elle vous dira ce soir, et laissez-la épouser Jean Aubard, pour qui elle s'est décidée.

— Jean Aubard ! dit Madeleine ; il ne lui convient pas, il est sot, et elle a trop d'esprit pour se soumettre à un homme qui n'en a point.

— Elle le fera marcher, et c'est l'homme qui lui

convient. Laissez partir cette jeunesse qui ne vous aime point comme elle devrait.

— C'est le chagrin qui te fait parler, François, dit Madeleine en lui mettant gentiment la main sur la tête.

Mais François, tout fâché de ce qu'elle ne voulait le croire, se retira et lui dit, d'un ton mécontent :

— Madame Blanchet, je vous dis que cette fille ne vous aime point. Si je le dis, c'est que j'en suis certain ; et vous pensez après cela que je l'aime ? Allons, c'est vous qui ne m'aimez plus, puisque vous ne voulez pas me croire.

Et François s'en alla pleurer tout seul auprès de la fontaine.

CHAPITRE XIX

Madeleine était encore plus confondue que François, et elle aurait voulu aller le consoler ; mais elle en fut empêchée par Mariette qui s'en vint, d'un air étrange, lui parler de Jean Aubard et lui annoncer sa demande. Madeleine s'essaya à lui parler de François, à quoi Mariette répondit, d'un ton qui lui fit bien de la peine :

— Que celles qui aiment les champis les gardent pour leur amusement ; tant qu'à moi, je suis une honnête fille. Je ne dépends que de moi, et si la loi me force à vous demander conseil, elle ne me force pas de vous écouter quand vous me conseillez mal.

— Je ne sais pas ce que vous avez, ma pauvre enfant, lui dit Madeleine, vous me parlez comme si vous n'aviez pour moi ni estime ni amitié. J'en ai du chagrin, mais comme je vois que vous en avez aussi, je vous le pardonne.

La Mariette hocha de la tête pour faire croire qu'elle méprisait ce pardon-là, et elle s'en fut mettre son tablier de soie pour recevoir Jean Aubard qui arriva une heure après avec la grosse Sévère tout endimanchée.

Madeleine, pour le coup, commença à penser qu'en vérité Mariette était mal intentionnée envers elle, pour amener dans sa maison, pour une affaire de famille, une femme qui était son ennemie. Elle dit qu'elle ne faisait point d'opposition aux volontés de sa belle-sœur, mais qu'elle demandait trois jours pour donner réponse. Sur quoi la Sévère lui dit avec insolence que c'était bien long. Et Madeleine répondit tranquillement que c'était bien court. Et là-dessus, Jean Aubard se retira, bête comme souche, et riant comme un nigaud ; car il ne doutait point que la Mariette ne fût folle de lui. Il avait payé pour le croire, et la Sévère lui en donnait pour son argent.

Et en s'en allant, celle-là dit à Mariette qu'elle avait fait faire une galette et des crêpes chez elle pour les accordailles. Madeleine voulut dire qu'il ne convenait point à une jeune fille d'aller avec un garçon qui n'avait point encore reçu parole de sa parenté.

— En ce cas-là, je n'irai pas, dit la Mariette.

Et elle entra dans sa chambre en claquant la porte ; mais en sortant par l'autre côté de la maison, elle s'en alla rejoindre la Sévère et le galant au bout du pré.

La pauvre meunière ne put se retenir de pleurer en voyant le train des choses.

« François a raison, pensa-t-elle, cette fille ne m'aime point et son cœur est ingrat. »

Elle le chercha pour lui dire ce qu'elle en pensait ; mais elle le trouva pleurant auprès de la fontaine et, s'imaginant qu'il avait regret de Mariette, elle lui dit tout ce qu'elle put pour le consoler. Mais plus elle s'y efforçait, plus elle lui faisait de la peine, parce qu'il voyait que son cœur ne pourrait pas se tourner pour lui en la manière qu'il l'entendait.

Sur le soir, François resta un peu avec Madeleine, essayant de s'expliquer. Et il commença par lui dire que Mariette avait une jalousie contre elle, que la Sévère disait des propos et des menteries abominables.

— Quelle jalousie peut-on mettre dans la tête de cette pauvre petite folle de Mariette ? dit Madeleine ; je ne suis plus d'âge à inquiéter une jeune et jolie fille. Le diable seul oserait dire que je te regarde autrement que comme mon fils. Non, non, je ne crois pas qu'elle ait si mauvaise idée.

— Et cependant, dit François, en baissant la tête pour empêcher Madeleine de voir sa confusion, monsieur Blanchet avait une mauvaise idée comme ça quand il a voulu que je quitte la maison !

— Tu sais donc cela, à présent, François ? dit Madeleine. Je ne te l'avais jamais dit. Mais n'y pensons plus, et pardonnons cela à mon défunt mari. L'abomination en retourne à la Sévère. Mais à présent la Sévère ne peut plus être jalouse de moi. Je n'ai plus de mari, je suis vieille et laide et je n'en suis pas fâchée, car cela me donne le droit de te traiter comme mon fils et de te chercher une belle et jeune femme qui m'aime comme sa mère.

François se leva pour lui dire bonsoir, mais voilà que pour la première fois de sa vie il s'avisa de la regarder avec l'idée de savoir si elle était vieille et laide. Et voilà que tout d'un coup, il la vit toute jeune et la trouva belle comme la Sainte Vierge. Et il s'en alla coucher dans son moulin. Et quand il fut là tout seul, il se mit à trembler et à étouffer comme de fièvre. Mais il n'était malade que d'amour.

CHAPITRE XX

Depuis ce moment-là, le champi fut si triste que c'était pitié de le voir. Il travaillait comme quatre, mais il n'avait plus ni joie ni repos, et Madeleine ne pouvait pas lui faire dire ce qu'il avait. Il ne lui parlait plus de la même manière. Il devenait rouge comme feu et blanc comme neige dans la même minute, si bien qu'elle le croyait malade, et lui prenait le poignet pour voir s'il n'avait pas la fièvre ; mais il se retirait d'elle comme si elle lui avait fait du mal en le touchant, et quelquefois il lui disait des paroles de reproche qu'elle ne comprenait pas.

Pendant ce temps-là, le mariage de Mariette avec Jean Aubard allait grand train, et le jour fut fixé pour celui qui finissait le deuil de Mlle Blanchet.

Madeleine avait peur de ce jour-là ; elle pensait que François en deviendrait fou. Mais François ne voulait point que la Mariette pût croire ce que Madeleine s'obstinait à penser. Il parlait de bonne amitié avec son prétendu. Le jour du mariage, il voulut y assister, et comme il était réellement content de voir cette petite fille quitter la maison, il ne vint à l'idée de personne qu'il s'en fut jamais entiché. Madeleine également commença à croire la vérité là-dessus, ou à penser tout au moins qu'il s'était consolé.

Et quand ce fut au bout d'une huitaine, François lui dit tout d'un coup qu'il avait affaire à Aigurande, et qu'il s'en allait y passer cinq ou six jours. Car il s'imaginait qu'elle ne pourrait jamais changer comme lui. Il se reprochait d'être trop jeune, d'avoir été connu trop malheureux et trop enfant. Cependant la Sévère et la Mariette, avec leur clique, commençaient à déchirer hautement Madeleine à cause de lui, et il avait grand-peur que le scandale lui en revenant aux oreilles, elle n'en prît de l'ennui et souhaitât de le voir partir. Et il pensa aller demander conseil sur tout cela à M. le curé d'Aigurande.

Il y alla, mais ne le trouva point, et s'en revint coucher au moulin de Jean Vertaud. Il trouva son brave maître toujours aussi bon ami qu'il l'avait laissé, et il trouva aussi son honnête fille Jeannette en train de se marier avec un bon sujet qu'elle prenait un peu plus par raison que par amitié, mais pour qui elle avait heureusement plus d'estime que de répugnance. Cela mit François plus à l'aise avec elle qu'il ne l'avait encore été, il causa plus longuement avec elle, et lui marqua la confiance de lui raconter toutes les peines dont il avait eu le plaisir de sauver madame Blanchet.

Et tout d'un coup Jeannette lui prit le bras et lui dit :

— François, vous ne devez plus rien me cacher. A présent, je suis raisonnable, et vous voyez, je n'ai pas honte de vous dire que j'ai pensé à vous plus que vous n'avez pensé à moi. Vous aimez Madeleine Blanchet, non pas tout bonnement comme une mère, mais bien bellement comme une femme qui a de la jeunesse et de l'agrément, et dont vous souhaiteriez d'être le mari.

Jeannette Vertaud se tenait devant François d'un air d'amitié si véritable, qu'il n'eut point le courage de mentir, et, lui serrant la main, il lui dit qu'elle était la seule personne au monde à qui il avait le courage de révéler son secret.

— Mon ami François, me voilà au fait, lui dit Jeannette. Je ne peux pas savoir ce qu'en pensera Madeleine Blanchet ; mais je vois fort bien que vous resteriez dix ans auprès d'elle sans avoir la hardiesse de lui dire votre peine. Eh bien, je le saurai pour vous et je vous le dirai. Nous partirons demain, mon père, vous et moi, et nous irons comme pour faire connaissance et visite d'amitié à l'honnête personne qui a élevé notre ami François ; vous promènerez mon père dans la propriété, et je causerai durant ce temps-là avec Madeleine.

Ils se mirent en route le lendemain, Jeannette en croupe derrière son père, et François partit une heure plus tôt pour prévenir Madeleine de la visite qui lui arrivait.

Madeleine ne l'attendait pas si tôt à revenir. Elle avait même eu crainte qu'il ne revînt plus du tout, et, en le voyant, elle ne put se retenir de courir à lui et de l'embrasser, ce qui fit tant rougir le champi qu'elle s'en étonna. Il l'avertit de la visite qui venait. Alors Madeleine se mit en besogne de tout préparer pour fêter de son mieux les amis de François.

Jeannette entra la première dans la maison, et dès qu'elle vit Madeleine, elle l'aima de grande amitié, ce qui fut réciproque. La vérité est que c'étaient deux bons naturels de femme et que la paire valait gros. Jeannette ne se défendait point d'un reste de chagrin en voyant Madeleine tant chérie de l'homme qu'elle aimait peut-être encore un brin ; mais il ne lui venait point de jalousie, et elle voulait s'en reconsoler par la bonne action qu'elle faisait. De son côté, Madeleine, voyant cette fille bien faite et de figure avenante, s'imagina que c'était pour elle que François avait eu de l'amour et du regret.

Dès le soir, après souper, Jeannette emmena

Madeleine dehors, faisant entendre à François de se tenir un peu à l'écart avec Jeannie, de manière à venir quand il la verrait de loin rabattre son tablier ; et alors elle fit sa commission en conscience, et si adroitement, que Madeleine n'eut pas le loisir de se récrier. Elle fut fort étonnée à mesure que la chose s'expliquait. D'abord elle crut voir que c'était encore une marque du bon cœur de François qui voulait empêcher les mauvais propos et se rendre utile à elle pour toute sa vie. Mais Jeannette lui fit savoir que le champi était amoureux d'elle, si fort qu'il en perdait le repos et la santé.

— Je n'imaginais rien de tel, répondit Madeleine, et j'en suis encore si étourdie dans mes esprits, que je ne sais comment vous répondre. Je vous prie de me donner le temps d'y penser et d'en parler avec lui.

Jeannette, entendant cela, rabattit son tablier, et François vint à leurs côtés. Jeannette adroitement demanda à Jeannie de lui montrer la fontaine, et ils s'en allèrent, laissant ensemble Madeleine et François.

Mais Madeleine, qui s'était imaginé pouvoir questionner tout tranquillement le champi, se trouva du coup interdite et honteuse comme une fille de quinze ans ; et François, voyant sa chère mère devenir rouge comme lui et trembler comme lui, devina que cela valait encore mieux pour lui que son air tranquille de tous les jours. Il lui prit la main et le bras, et il ne put rien lui dire du

tout. Mais comme tout en tremblant elle voulait aller du côté où étaient Jeannie et Jeannette, il la retint comme de force et la fit retourner avec lui. Et Madeleine, sentant comme sa volonté le rendait hardi de résister à la sienne, comprit mieux que par des paroles que ce n'était plus son enfant le champi, mais son amoureux François qui se promenait à son côté.

Et quand ils eurent marché un peu de temps sans se parler, mais en se tenant par le bras, aussi serrés que la vigne à la vigne, François lui dit :

— Allons à la fontaine, peut-être y trouverai-je ma langue.

Et à la fontaine, il faut croire qu'il parla très bien et que Madeleine n'y trouva rien à répondre, car ils y étaient encore à minuit, et elle pleurait de joie, et il la remerciait à genoux de ce qu'elle l'acceptait pour mari.

TABLE

junior poche

1 ***Robinson Crusoé*** *Daniel Defoe*
2 ***L'île au trésor*** *Robert Louis Stevenson*
3 ***La case de l'oncle Tom*** *Beecher-Stowe*
4 ***Le Capitaine Fracasse*** *Théophile Gautier*
5 ***Jane Eyre*** *Charlotte Brontë*
6 ***La petite Fadette*** *George Sand*
7 ***Les petites filles modèles*** *Comtesse de Ségur*
8 ***Les aventures de Robin des bois***
9 ***François le Champi*** *George Sand*
10 ***Michaël, chien de cirque*** *Jack London*
11 ***Croc-Blanc*** *Jack London*
12 ***L'ami Fritz*** *Erckmann et Chatrian*
13 ***Paul et Virginie*** *Bernardin de Saint-Pierre*
14 ***Olivier Twist*** *Charles Dickens*
15 ***Les patins d'argent*** *Mary Mapes Dodge*
16 ***Contes*** *Perrault*